P9-EET-785

ROMA EBRAICA
Duemila anni di storia in immagini

JEWISH ROME
A pictorial history of 2000 years

testo
text | RUTH LILIANA GELLER
fotografie | HENRYK GELLER
photographs | ARD GELLER

VIELLA

ISBN 88-85669-01-8
English translation: DESMOND O' GRADY
Copertina: IDA HORN
Finito di stampare nel mese di ottobre 1983
dalla Pubbliprint Service in Roma

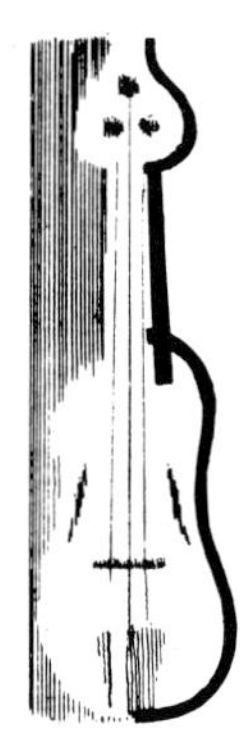

viella s.r.l.

Libreria Editrice

Via delle Alpi, 32
I - 00198 Roma
Tel. (06) 8441782 - 857758

INDICE

TABLE OF CONTENTS

PREFACE

Eighty generations of Jews without a break in time or change in location have lived out the two-thousand-year history of their community which today can make the unique boast of being the oldest in the Western World.

Despite the uncertainty of their surroundings — the Republic, the Empires of the West and the East, the Kingdom of the Barbarians, medieval anarchy, Papal dominion and finally the Kingdom and Republic of Italy — the Jews of Rome have lived in the knowledge of how to defend — against every human adversity and political upheaval — their unclouded religious and cultural inheritance, their unbreakable bond with their country of origin; they have been able, as a result to preserve with strength and faith their very being through twenty one centuries.

The photographs in « Jewish Rome » with its historical introduction, illustrate this two-thousand year history of the Roman Jews. These images of places — monuments, streets and squares —, of archeological discoveries — sarcophagi, gravestones, lamps and epigraphs — and of cult objects of various epochs trace the historical continuity of the Roman community from the distant days of 161 before the Common Era up to our own days, in the attempt to demonstrate their historical importance and follow the vital thread in the lives of this small group of Jews, the tap-root of what was to become, with the passage of time, Italian Jewry.

PREFAZIONE

Ottanta generazioni di ebrei hanno intessuto a Roma, senza soluzione di continuità, la storia bimillenaria di questa comunità, che oggi può vantare di essere la più antica del mondo occidentale. Nella mutevolezza dell'ambiente circostante — repubblica, impero d'Occidente e d'Oriente, regno dei barbari, vicende medioevali, predominio papale ed infine regno e Repubblica Italiana — gli ebrei di Roma sono vissuti, sapendo difendere da ogni avversità umana e da ogni tempesta politica il loro patrimonio religioso e culturale, che è sempre stato un inconfondibile e profondo legame con la loro terra d'origine. In ventun secoli di storia essi hanno saputo quindi conservare intatta, con forza e con fede, la loro entità ebraica.

Le vedute di « Roma Ebraica », precedute da introduzione, ci presentano la storia bimillenaria degli ebrei di Roma. Queste immagini di luoghi — monumenti, strade e piazze —, di reperti archeologici — sarcofaghi, lucerne ed epigrafi — e di oggetti rituali di varie epoche, sottolineano quindi la continuità storica della comunità ebraica romana dal lontano 161 prima dell'E.V. fino ai nostri giorni. Esse altresì illustrano le varie manifestazioni della vita ebraica e seguono il filo conduttore delle vicende di questo piccolo gruppo di ebrei, robusta radice di quello che, nello scorrere dei secoli, sarebbe stato l'ebraismo italiano.

JEWISH ROME

"Twenty centuries have passed and only a few ruins remain of what was imperial Rome, and of the immortal Gods nothing but the odd vague image; of the glory, the power and the innumberable treasures only a pale memory remains. Patricians, plebs, consuls, emperors, masters of the world passed, leaving hardly a trace, yet the sons of the Jews, slaves of Pompey and Titus still survive. They have seen fall to dust around them the ancient Roman Republic, the Kingdom of the Caesars, Byzantium and the conquests of the Barbarians, the anarchy of the Middle Ages and the dominion of the Pope; they, however, live on. It is fifteen centuries since the fall of the proud image of Capitoline Jove which had seemed to be eternal, but by the Capitoline hill the Jewish rite has remained immobile and unchanged." [1]

Almost a century has passed since these words were written, a century crammed with happenings, afflicted by several wars and bearing the shameful imprint of the most infamous persecution of all times and still — as in the past — the Jews live in Rome where they first came in the second century before the Common Era, 1 travelling, it seems probable, up the Appian Way to appear before the Senate as bearers of an embassy, which in the name of Judas Maccabeus requested, and obtained, the friendship and protection 2 of Rome. Likely also, that it was up the Appian Way the subsequent Jewish embassies came in 151 and 139 before the Common Era, and later the Jewish prisoners of Pompey the Great, the conqueror of Palestine, and also the prisoners of Titus, the destroyer of Jerusalem.

7, 8 It was in the year 70 after the Common Era that the triumph of Titus marked the end of the Jewish nation. The Jews, who for two

[1] Natoli, E. "Il ghetto di Roma", 1887, p. 1.

The numbers in the margin refer to the plates and to their respective notes.

ROMA EBRAICA

« Sono trascorsi venti secoli e della Roma imperiale non rimangono che poche ruine, e degli Dei immortali che qualche immagine vaga; di gloria, di potenza, di ricchezze innumerabili altro non resta che una pallida rimembranza. Passarono, senza lasciar quasi traccia, patrizi, plebei, consoli, imperatori, signori del mondo ed i figli degli ebrei, schiavi di Pompeo e di Tito, resistono ancora. Intorno a sé hanno visto disfarsi in polvere l'antica Repubblica Romana e la monarchia dei Cesari e di Bisanzio, e le conquiste dei barbari, e l'anarchia medioevale ed il dominio dei Papi; essi hanno sopravvissuto. Da quindici secoli è caduto il superbo simulacro di Giove Capitolino, che sembrava dovesse essere eterno, ma presso il Campidoglio è rimasto immobile ed immutato il culto ebraico » [1].

E' trascorso circa un secolo da quando queste parole furono scritte, un secolo denso di avvenimenti, funestato da più guerre e portante il marchio obbrobrioso della più infamante persecuzione di tutti i tempi ed ancora — come nel passato — gli ebrei continuano a vivere a Roma, dove essi giunsero nel II secolo prima dell'E.V., percorrendo probabilmente la via Appia per presentarsi al Senato Romano portatori di quella ambasceria, che in nome di Giuda Maccabeo sollecitava, ottenendole, l'amicizia e la protezione di Roma. Probabilmente sull'Appia transitarono anche gli ebrei delle susseguenti ambascerie del 151 e del 139 prima dell'E.V. ed in seguito gli ebrei prigionieri di Pompeo Magno, conquistatore della Palestina e quelli di Tito, distruttore di Gerusalemme. **1** **2**

Era l'anno 70 dell'era volgare ed il trionfo di Tito segnava la fine della nazione giudaica. Gli ebrei, che da due secoli e mezzo stanziavano nell'Urbe, videro con sgomento i loro fratelli in catene sfilare dietro i sacri arredi — il candelabro a sette braccia, la mensa aurea **7, 8** **4, 5**

[1] Natali, E. "Il ghetto di Roma", 1887, p. 1.

I numeri marginali si riferiscono alle tavole ed alle didascalie.

4, 5 10 and a half centuries had been quartered in the City, saw with terror their brethren pass in chains behind the sacred ornaments — the Seven-branch Candlestick, the golden table and the trumpets blown by the Levites, booty from the Temple sacked by the Romans and reduced to a pile of rubble, destined by Vespasian to the Temple of Peace which he had built after his son Titus had conquered Judea and which was considered the great museum of Imperial Rome.

11, 12 13 In the historic triumphal procession Jochanan of Giscala and Simon bar Giora, leaders of the strenuous resistance of Jerusalem, preceded the chariot of Titus. Simon after being tortured, was beheaded in the horrible dark of the Mamertine prison.

A terrible catastrophe had come upon the Palestine Jews, but if the fall of Jerusalem began the era of desolation, it was still true that the scattered Jews were aware that their faith and moral force had not been crushed by the falling walls or been destroyed in the smoking rubble of the Temple.

THE ORIGINS OF THE JEWS OF ROME

3 The nucleus of the Jews in Rome, formed initially by the arrival of merchants and freemen, particularly from Alexandria and the Greek islands, and swollen by the influx of Palestinian prisoners — sold as slaves and become free — lived through, in the period of the Republic and under the Empire, times when they were protected and times when they were merely tolerated.

By now it is beyond discussion, in the light of literary and archeological evidence, that the Jews in Rome — a small nucleus even at the time of the third embassy from the Maccabeans — had, a half century before the Common Era, founded in the City a flourishing and stable Jewish community. Cicero, in his speech, "Pro Flacco" of 59 B.C.E., when speaking of the Jews witnesses their influence in the public life of Rome. Caesar was the most active protector of the Jews, establishing the basis for freedom of worship, permitting public rites, authorising the yearly contribution to the Temple in Jerusalem, exempting the Jews from military service, so that they would not be forced to break the rigorous laws binding them to the Sabbath rest.

On Caesar's death, in honour of his memory the Jews en masse went in mourning to his funeral pyre.

The kindness shown by Caesar and his policy of protection were

e le trombe usate dai Leviti — bottino di guerra asportato dai conquistatori romani dal Tempio ridotto ad un ammasso di rovine e da Vespasiano destinati ad essere depositati nel tempio della Pace, fatto da lui costruire dopo la vittoria di suo figlio Tito sulla Giudea e considerato il più grande museo della Roma Imperiale. Nel famoso trionfo precedevano il carro di Tito anche i capi della strenua resistenza di Gerusalemme, Jochanan di Ghiscala e Scimon bar Ghiora, il quale, dopo essere stato torturato, fu decapitato nell'orrido carcere Mamertino.

10

11, 12

13

Un'immane catastrofe si era abbattuta sugli ebrei in Palestina, ma se il crollo di Gerusalemme aveva dato inizio all'era della desolazione, era pur vero che gli ebrei dispersi erano consci che la loro fede e la loro forza morale non erano state schiacciate dai muri in rovina né erano andate distrutte fra le macerie fumanti del Tempio.

LE ORIGINI DEGLI EBREI ROMANI.

Il nucleo degli ebrei di Roma, formatosi in un primo tempo con l'affluire di liberi mercanti provenienti specialmente da Alessandria d'Egitto e dalle isole greche e dal successivo affluire di prigionieri ebrei — venduti come schiavi e divenuti liberti — visse, nell'età repubblicana e nel periodo imperiale, epoche di protezione alternate ad epoche di tolleranza.

3

E' ormai indiscusso e suffragato da fonti letterarie e da reperti archeologici che gli ebrei di Roma — già piccolo nucleo all'epoca della terza ambasceria dei Maccabei — alla metà del I secolo prima dell'E.V. avevano dato vita nell'Urbe ad una comunità ebraica fiorente e stabile. Nell'orazione « pro Flacco », pronunciata nel 59 prima dell'E.V., Cicerone, parlando degli ebrei, attesta la loro influenza nella vita pubblica di Roma. Cesare fu il più strenuo difensore degli ebrei, gettando le basi della libertà di culto, permettendo funzioni religiose pubbliche, autorizzando l'invio di contributi annui al Tempio di Gerusalemme, esentando gli ebrei dal servizio militare, affinché essi non fossero costretti a violare le rigorose leggi del riposo sabbatico. Alla morte di Cesare, riconoscenti alla sua memoria, gli ebrei compatti si radunarono in lagrime sul luogo del suo rogo.

La benevolenza dimostrata da Cesare e la sua politica di protezione vennero attuate anche da Augusto, suo successore, che anzi ampliò i privilegi accordati agli ebrei, evitando che essi comparissero di sabato dinanzi ai tribunali e non impedendo il proselitismo.

carried on by Augustus, his successor, even to the point of increasing the privileges of the Jews, seeing to it that they were free on the Sabbath from the duty to appear before the courts and allowing them to proselytise.

THE JEWS IN ROME AT THE TIME OF THE EMPIRE

Under the Empire which began with Augustus and which brought such changes to political life, while the City embellished her art with such monuments as the Pantheon and the Theatre of Marcellus and while Rome boasted such master poets as Vergil, Horace and Ovid, the Jewish colony, made up, perhaps, of thirty or forty thousand, enjoyed a period of particular well-being and prosperity, meeting freely during the entire Augustan era in the thirteen or so synagogues that arose in various parts of Rome, but especially in Trastevere, where there was the largest concentration of Jews.

Too soon the mild government of Augustus gave way to the tyranny of the later emperors, and the Jewish community, from the first century, came to know how heavy was the hand of tyranny. The first persecution, if only a brief one, they suffered under Tiberius when they were banned from the City — though they returned with their privileges intact, when Tiberius changed his mind about the Jews after the death of his malignant advisor, Sejanus.

In 49 C.E. quarreling broke out in the heart of the Jewish community between the large number of opponents and the few supporters of the new Christian sect. Claudius, who had been tolerant to the Jews at the beginning of his rule ordered their expulsion from Rome. Flavius Josephus, the Jewish historian who lived in the City with imperial protection does not however speak of the event; it seems therefore likely that it was not a mass expulsion but a question of removing individual trouble-makers. The ferments and dissension that arose among the Jews of Rome, under Claudius, came to a head, under Nero, in the distinction between followers of the old and new faith — a distinction by then so clear that, after the fire of 64 C.E., though Nero fiercely persecuted the Christians, he spared the Jews.

THE DESTRUCTION OF JERUSALEM

Three years later, in 67 C.E., when Palestine rebelled against the oppression of the procurators, Nero sent an army under Vespasian to put down the rebellion. A year later Vespasian was elected emperor at Caesarea, and the war against Jerusalem was continued by his son Titus.

Nothing is known about the Jewish community in Rome during the

Valorosa difesa dei Giudei contro i Romani.
The Jews valiantly defend themselves against the Romans.
(Migliavacca inc. "+1856", Firenze 1831).

Distruzione del Tempio di Gerusalemme.
The destruction of the Temple of Jerusalem.
(B. Pinelli "1781-1835" inv., G. Mochetti inc., Roma).

Il trionfo di Vespasiano e Tito a Roma.
Vespasian's and Titus' joint triumph at Rome.
(J. Luyken "1649-1712", Amsterdam 1700).

GLI EBREI A ROMA NELL'ETA' IMPERIALE.

Inaugurata con Augusto l'età imperiale, che portò un così profondo mutamento nella vita politica, mentre Roma nell'arte si arricchiva di monumenti grandiosi come il Pantheon ed il Teatro Marcello e nelle lettere si gloriava di poeti sommi quali Virgilio, Orazio ed Ovidio, la colonia ebraica romana, formata forse da trenta o quarantamila ebrei, fruì di un periodo di particolare benessere e prosperità, riunendosi liberamente in tutta l'età augustea nelle tredici o quattordici sinagoghe che sorgevano in vari quartieri di Roma ma in particolare in Trastevere, dove l'elemento ebraico era maggiormente concentrato.

Ben presto il dispotismo degli imperatori subentrò al mite governo di Augusto e la collettività ebraica di Roma cominciò a sentire, già nel I secolo, quanto fosse gravoso il peso della tirannide. La prima persecuzione, anche se di breve durata, essi la subirono sotto Tiberio venendo banditi dalla città, ma questi, alla morte del suo malefico consigliere Seiano, ricredutosi sul conto degli Ebrei, riconfermò tutti i privilegi, che a loro erano stati concessi.

Nel 49 dell'E.V. confusi tumulti scoppiarono in seno alla collettività ebraica romana fra i moltissimi oppositori ed i pochi sostenitori della nuova setta cristiana e Claudio — che all'inizio del suo governo si era mostrato tollerante verso gli ebrei — ordinò la loro espulsione da Roma. Giuseppe Flavio, storico ebreo che visse nell'Urbe sotto la protezione imperiale e qui scrisse le sue opere, non parla però dell'accaduto; sembra molto probabile quindi che non si trattasse di una vera espulsione ma dell'allontanamento di qualche singolo facinoroso. I fermenti ed i dissidi sorti fra gli ebrei di Roma sotto il governo di Claudio sfociarono, durante il periodo neroniano, nella distinzione fra i seguaci dell'antica e della nuova fede, tanto che l'imperatore, dopo l'incendio di Roma, si accanì nella persecuzione dei cristiani risparmiando gli ebrei. Tre anni dopo, nel 67 dell'E.V., la Palestina, vessata dai procuratori romani, insorse e Nerone, per domare la rivolta ebraica, inviò un esercito con a capo il generale Vespasiano, che un anno dopo a Cesarea venne eletto imperatore; la guerra contro Gerusalemme venne allora condotta da suo figlio Tito. Non ci sono notizie intorno alla collettività ebraica di Roma durante il periodo della rivolta in Palestina. Vespasiano, dopo la distruzione del Tempio e l'annientamento della nazione giudaica, fece coniare una moneta con la dicitura « Judaea capta » e fece istituire il « Fiscus Judaicus », facendo versare cioè al Tempio di Giove Capi-

LA DISTRUZIONE DI GERUSALEMME

6

period of the Palestinian revolt. Vespasian, after the destruction of Jerusalem and the dismembering of the Jewish nation minted a coin with the inscription "Judaea capta" and set up the "Fiscus Judaicus," forcing the Jews to pay to the Temple of Capitoline Jove the tributes that, thanks to Caesar, they had been allowed to send to the Temple in Jerusalem.

6

The condition of the Jews in Rome changed little under Titus to whose memory as conqueror of Jerusalem the Senate and the Roman people dedicated a triumphal arch which stands at the highest point of the Via Sacra. In 81 C.E. Domitian succeeded his brother and showed himself very severe towards the Jews and their Roman sympathisers. Under him, the last of the Flavians, the links between the Roman Jewry and Palestine were strengthened by the arrival in Rome of a group of scholars, Rabban Gamliel, Joshua ben Chanania, Eliezer ben Azaria and Akiba. The Talmud talks of their lasting presence in Rome and their discussions with scholars of other persuasions. In the reign of Trajan, in 131, and again under Hadrian, in 136, there were uprisings in Palestine which brought on a period of political unrest.

7, 9

Though at the defeat of Bar Kochba, the leader of the bloody rebellion against the might of Rome, Jerusalem disappeared even in name — the place was renamed Aelia Capitolina — the Jews in Rome kept all the rights and privileges they had acquired. It was in Hadrian's reign however that the decree against circumcision was promulgated, only to be revoked, according to Ulpiano, by Antoninus Pius, who forbade it only among proselytes. Perhaps the intervention of two famous Palestinian scholars, Simon ben Jochai and Eliezer ben Jose, at the time in the City, had some effect on the Emperor's decision.

ROME: A CENTRE OF JEWISH LEARNING

In Rome, in fact, there had been a Rabbinical Academy, a Yeshiva, established for some few years and as famous as the schools of Palestine — Yavne, Lydda and Bene Berak and directed by Rabbi Mattya ben Cheresh. The Talmud reveals its importance when it describes it as "the spiritual centre of Jewry in the western Mediterranean." Thus, though Hadrian's destruction of Jerusalem had erased the last trace of political independence in Palestine, to Rome came Jewish scholars who made of the Roman community a crucible in which the processes of Jewish learning continued. The power of Rome had managed to destroy the Jewish nation, but the intellectual and spiritual life of the Jews was untouched.

tolino i contributi che gli ebrei, per concessione di Cesare, avevano fino allora inviati al Tempio di Gerusalemme.

Con Tito, al quale dopo la morte il Senato ed il popolo romano dedicarono un arco di trionfo alla sommità della Via Sacra, le condizioni degli ebrei romani non subirono notevoli modifiche. Nell'81 subentrò al potere Domiziano, suo fratello, che si mostrò severo con gli ebrei ed intransigente nel punire i romani giudaizzanti. Sotto di lui, ultimo dei Flavi, i vincoli fra la collettività ebraica di Roma e la Palestina vennero rinsaldati con l'arrivo nell'Urbe di un gruppo di dotti, Rabban Gamliel, Josciua ben Hanania, Elieser ben Azaria ed Achiba. Dal Talmud infatti risultano notizie della loro permanenza a Roma e delle loro discussioni con studiosi di altre fedi. Con Traiano ed Adriano, negli anni 131 e 136, si riaccesero le sommosse in Palestina, dando vita ad un periodo di sconvolgimento politico.

7, 9

Alla sconfitta di Bar Kochba, capo della sanguinosa rivolta contro la potenza di Roma, mentre Gerusalemme scompariva anche di nome, assumendo quello di Aelia Capitolina, gli ebrei di Roma mantennero tutti i diritti acquisiti. E' di Adriano però il decreto contro la circoncisione, decreto che — secondo quanto riportato da Ulpiano — venne revocato da Antonino Pio, il quale permise che la circoncisione venisse praticata fra gli ebrei, ma non fra i proseliti. Forse a questa benevola decisione dell'imperatore non fu estraneo l'intervento di Scimon ben Jochai e di Eliezer ben José, famosi dotti — ebrei palestinesi — presenti nell'Urbe.

ROMA CENTRO SPIRITUALE DELL'EBRAISMO.

A Roma infatti, già da qualche anno, era stata fondata una Yescivà, Accademia Rabbinica, che, celebre quanto le consorelle di Palestina, quelle di Yavne, di Lidda e di Bené Berak e definita da un passo del Talmùd Babilonese « centro spirituale dell'Ebraismo del Mediterraneo occidentale », era stata affidata alla guida di Rabbi Matyà ben Cheresh.

Così, mentre la conquista di Gerusalemme da parte di Adriano aveva annientato in Palestina l'ultima traccia di indipendenza politica, a Roma, in seno alla collettività ebraica, continuavano a giungere molti maestri ebrei che contribuivano a fare di questa collettività una fucina del pensiero ebraico. Roma era riuscita a distruggere quindi la nazione ebraica, ma non la vita spirituale ed intellettuale degli ebrei.

Dopo Antonino Pio, le condizioni di vita degli ebrei romani furono sostanzialmente buone, tanto che sotto Settimio Severo essi pote-

After Antoninus Pius the material condition of the Roman Jews was substantially good. They were even allowed, under Septimus Severus, to hold public office, sometimes at high level, and with Caracalla they were enfranchised by the edict of 212 together with all the other freemen of the Empire who till then had lacked citizenship. Later, so apparent was the sympathy of Alexander Severus towards the Jews that he was nicknamed "Arch synagogue" — Chief Rabbi — by his sarcastic opponents.

The last period of the pagan emperors is scarce in information about the Jews. Without doubt they enjoyed the fortunes and misfortunes of any Roman citizen; furthermore they enjoyed full freedom of worship and when, under Valerian and Diocletian persecutions of Christians occurred, they were left untouched.

THE ROMAN JEWS AND THE CHRISTIAN EMPIRE

With Constantine the Empire took a Christian slant and for the Jews a new epoch began. It is significant that for the first time in the edicts of Rome, they underwent the shame of being defined as a foul, bestial, filthy and perverse sect. From this point on for fifteen centuries the line adopted by the Church was to be that: "of preserving the Jewish religion in its most essential features but oppressing those who practice it; of keeping alive that 'lumen veritatis' and keeping those who had lit it and continued to look after it in torment and darkness." [2]

JEWISH CATACOMBS

The most direct evidence that we have of the organization and administration of Roman Jewry, for the whole of this long period, comes from the inscriptions in the six catacombs which were used by the Jews from the first century before the Common Era to the beginning of the fourth century C.E., only two of which can still be visited.

They were situated set back from the arterial roads and took the
22 form of long narrow galleries cut in the tufa. Some were decorated
24 with frescoes using Hebrew symbols, other that use mythological
23 figures show the influence of the pagan world on the Jews of Rome.
The language used in the funereal inscriptions was almost always
25 Greek and Latin, rarely Hebrew, while the names of the dead are
largely Hebrew in origin and of the ones so far examined only one
30 of German origin. The Jews in Rome must therefore have been
31 prevalently bilingual. It is unfortunately not possible to discover,

[2] Milano, A. "Storia degli Ebrei in Italia", 1963, p. 39.

rono ricoprire uffici pubblici, giungendo ad alte cariche e sotto Caracalla acquisire la cittadinanza romana con l'editto del 212, insieme agli altri uomini liberi dell'impero che ne erano ancora sprovvisti. Palesi poi furono le simpatie di Alessandro Severo verso gli ebrei, tanto che dai suoi oppositori egli venne sarcasticamente soprannominato « Arcisinagogo ».

Ben poche sono le notizie intorno agli ebrei di Roma per l'ultimo periodo degli imperatori pagani. Certamente gli ebrei condivisero le condizioni di vita della popolazione romana; per lo più vi fu una ampia tolleranza verso la religione ebraica e durante le persecuzioni scoppiate contro i cristiani, sotto Valeriano e Diocleziano, gli ebrei non vi furono coinvolti.

GLI EBREI ROMANI E L'IMPERO CRISTIANO.

Con Costantino l'Impero prese un avvio cristiano, per gli ebrei ebbe così inizio una nuova epoca. E' significativo che, per la prima volta negli editti di Roma, essl subirono l'onta di essere definiti setta nefasta, bestiale, turpe e perversa. D'ora in poi e per i prossimi quindici secoli, la linea adottata dalla Chiesa sarà quella di « salvaguardare la religione ebraica nelle sue più essenziali espressioni, ma di opprimere chi la professava; di mantenere vivo quel lumen veritatis, ma nelle tenebre e nei triboli coloro che lo avevano acceso e che seguitavano ad alimentarlo » [2].

LE CATACOMBE EBRAICHE.

La testimonianza più diretta della vita della collettività ebraica di Roma, della sua organizzazione ed amministrazione interna per tutto questo lungo periodo, ci viene dalle iscrizioni delle sei catacombe, che vennero usate dagli ebrei dal I secolo prima dell'E.V. fino all'inizio del IV secolo e di cui ora è possibile visitarne soltanto due. Esse erano situate in prossimità delle grandi vie di comunicazione, formate da lunghe e strette gallerie tagliate nel tufo, alcune di esse affrescate con simboli ebraici, altre con figure mitologiche, che denotano l'influenza del mondo pagano sugli ebrei di Roma. **22** **24** **23**

La lingua usata per le iscrizioni funerarie fu quasi sempre la greca o la latina, molto rara l'ebraica, mentre per quanto riguarda i nomi possiamo affermare che molti sono quelli di origine ebraica ed uno solo, finora rinvenuto, di origine germanica. La comunità ebraica di Roma fu quindi prevalentemente bilingue. Non è però possibile risalire attraverso queste iscrizioni, come fonti di notizia, alla situazione **25** **30** **31**

[2] Milano, A. "Storia degli Ebrei in Italia", 1963, p. 39.

28, 29 through the inscriptions, the economic situation of Jews as very few of the lapidary stones give any indication of occupation.

26, 27 Nevertheless, besides the people of modest means, made up, let us say, of pedlars and market men — the most numerous group, lower class, living mostly in Trastevere — there must have been many Jews in larger businesses, whose comfortable means would be clear from marble sarcofagi and frescoes even if pagan authors had never mentioned Jewish merchants. They traded with Africa and the East, particularly out of the port of Claudio which the Via Portuense connects with Rome, and where large numbers of Jewish inscriptions have been found in the catacombs.

THE SYNAGOGUE OF OSTIA

14 / 20, 21 The belief that there was a group of well-off Jews and, further a numerous and flourishing community in Ostia, the port of Rome, is well sustained and has been put beyond dispute by the unearthing of a synagogue which covers all of 850 sq. metres. It is the largest so far discovered and the oldest in the Western hemisphere. It was founded, as a smaller synagogue, in the first centry C.E. and amplified and embellished on two subsequent occasions, first in the second and then in the fourth century.

16 / 20, 21 / 15, 18, 19 It lies not far from the line of the old shore and is skirted by the Via Severiana. It was adorned with pillars and mosaics and contained, apart from the prayer hall, other rooms with an oven for the baking of unleavened bread, a well and a bath, probably for the ritual washing.

17 The discovery of the synagogue has confirmed the existence of a flourishing community, a long held belief that found earlier backing in the discovery of an inscription found at Castel Porziano from which it was possible to deduce even the organization of the community.

No trace, however, has yet been found of the old Roman synagogues. We know their names from funereal inscriptions and generally they are derived from the neighbourhood in which they stood — the Synagogue of Suburra, of Campo — or from the name of some Roman patron of the Jews — the Synagogue of the Augustei, of the Agrippensi — or from the homeland of the congregation — the Synagogue of the Tripolitans.

Some of these synagogues are known to exist up as far as the first centuries of the Middle Ages, and were destroyed in 388, in 395 and

economica dei membri della comunità, dato che solo singole lapidi danno indicazioni circa le occupazioni degli ebrei. 28, 29

Accanto ad un ceto umile, composto di venditori ambulanti e di povera gente — vasto proletariato raccolto per la maggior parte in Trastevere — doveva esservi anche una grande parte di ebrei dediti principalmente al commercio, la cui agiatezza economica viene denunciata dai sarcofagi marmorei e dagli affreschi di alcune catacombe. 26, 27 Essi svolsero certamente la loro attività commerciale con l'Africa e l'Oriente, specie dopo la costruzione del porto di Claudio, collegato a Roma con la Via Portuense, nelle cui catacombe ebraiche sono state rinvenute numerosissime iscrizioni funerarie.

LA SINAGOGA DI OSTIA.

La tesi dell'esistenza di un ceto ebraico abbiente ed ancor più di una comunità numerosa e fiorente attestata ad Ostia, porto di Roma, 14 è avvalorata inoltre dal ritrovamento di una Sinagoga, che si estende su ben 850 metri quadrati. 20, 21 Per le sue notevoli dimensioni, essa è la più grande fra quelle finora rinvenute ed è la più antica del mondo occidentale. Fu fondata, in dimensioni inferiori, nel I secolo dell'E.V., poi ampliata ed abbellita dal II al IV secolo. E' situata non lontano dall'antico litorale ed è costeggiata dalla Via Severiana. 16 Adorna di colonne e di mosaici, è composta oltre che dell'aula della preghiera, 15, 18, 19 di altri vani forniti rispettivamente di un forno per il pane azzimo, 20, 21 di un pozzo e di una vasca forse per il bagno rituale.

La scoperta di questa sinagoga non ha fatto che confermare l'esistenza di una comunità ebraica ostiense fiorente e consolidata già da lungo tempo, di cui indizio si trova in una precedente iscrizione 17 rinvenuta a Castel Porziano, dalla quale risulta anche l'organizzazione della comunità stessa.

Non sono invece finora state trovate tracce delle antiche sinagoghe che esistevano a Roma. Attraverso le iscrizioni funerarie se ne conoscono i nomi, che derivavano di solito dall'ubicazione di esse — Sinagoga della Suburra, di Campo — o dal nome di qualche personaggio romano, protettore degli ebrei — Sinagoga degli Augustei, degli Agrippensi — o dal luogo di provenienza — Sinagoga dei Tripolitani. Alcune di queste sinagoghe, di cui si hanno notizie fino ai primi secoli del Medio Evo, vennero devastate negli anni 388, 395 e 509; le più antiche di esse erano quelle situate in Trastevere, primo quartiere ebraico di Roma ed in cui, ancor oggi, risiede un grande numero di ebrei.

Scarse sono le notizie intorno alla comunità ebraica di Roma durante

in 509; the oldest were in Trastevere, the first Jewish locality in Rome where even today large numebrs of Jews live.

Of the Jews very little is known during the invasions of Alaric and Genseric. The invaders put Rome to fire and the sword and, during the looting of the City, the sacred vessels, removed by Titus from the Temple in Jerusalem and placed by Vespasian's order in the Temple of Peace, were taken away.

THE JEWISH SCHOOLS IN THE MIDDLE AGES

With the fall of the Roman Empire of the West we are on the threshold of the Middle Ages and we must wait for news of the Jews — apart from the enlightened papacy of Gregory the Great — until the year thousand. In Rome, a centre of spiritual life for the Jews had slowly come into being. In the synagogues, "scholae" as they were usually called, the Talmud was taught along with the Bible. These synagogues were furnished with excellent libraries, which naturally encouraged study and the expansion of Jewish culture. By the tenth century the synagogue poets of Rome had achieved a wide reputation — so much so that many of their liturgical poems had become an integral part in the rituals of other Jewish communities. About the year thousand there were large numbers of scholars carrying on religious studies or engaged in liturgical poetry. Among others to distinguish themselves was the lexicographer Nathan ben Jechiel, author of the Arukh (the Ordained) a book of particular importance for students of the Talmùd. Nathan founded a synagogue in Trastevere, which very probably can be identified as a medieval house in Vicolo dell'Atleta, which was once Vicolo delle Palme. It bears the house numbers 13-14 and is at present a private dwelling. On the central column, which holds up the two arches of the facade, Hebrew characters are still visible.

34, 35

Contemporaries of Nathan and no less famous than he, were Kolonimus ben Sabbatai and Sabbatai ben Mose, known, both of them, for their literary activity.

Benjamin of Tudela, a Spanish Jew of this period kept a diary of his travels and speaks of the Jewish community as being made up of two hundred well thought of and respectable families. He also mentions the presence of Jewish scholars at the Papal court and famous physicians.

It is sometime during this period — a period disturbed by the violent

Antica scuola ebraica.
Ancient Jewish school.
(J. Lebas "1708-1783", Paris 1722).

La celebrazione della vigilia del sabato presso gli Ebrei.
The Jewish eve of Sabbath celebration.
(J. Lebas "1708-1783", Paris 1722).

le grandi invasioni di Alarico e di Genserico. Essi misero Roma a ferro ed a fuoco e nel saccheggio della città vennero asportati anche gli arredi sacri che — come si è già detto — da Tito erano stati portati via dal Tempio di Gerusalemme e per volere di Vespasiano depositati nel Tempio della Pace.

LE « SCHOLAE » EBRAICHE NEL MEDIO EVO.

Con la caduta dell'Impero Romano d'Occidente, siamo alle soglie del Medio Evo e per avere notizie intorno alla comunità ebraica di Roma — fatta eccezione per l'illuminato pontificato di Gregorio I Magno — bisogna giungere al Mille. A Roma si era formato lentamente un centro di vita spirituale ebraica, e nelle « Scholae », come abitualmente venivano chiamate le sinagoghe, oltre alla Bibbia veniva insegnato il Talmùd. Queste sinagoghe erano munite di pregevoli biblioteche, che contribuivano naturalmente all'approfondimento degli studi ed all'espansione della cultura ebraica.

Già nel X secolo i poeti sinagogali di Roma avevano acquisito una grande rinomanza, tanto che molte delle loro poesie liturgiche erano entrate a far parte integrante dei rituali di altre comunità ebraiche. Intorno al Mille la comunità ebraica di Roma annoverava moltissimi dotti negli studi religiosi e nella poesia liturgica. Fra gli altri si distinse particolarmente il lessicografo Nathan ben Jechiel, autore dell'Arùkh (l'Ordinato), opera di grande importanza specialmente per gli studi talmudici. Nathan aveva fondato in Trastevere una sinagoga, che con molta probabilità può essere identificata in una casa medioevale, esistente al Vicolo dell'Atleta, antico Vicolo delle Palme, contrassegnata dai numeri civici 13-14, attualmente adibita ad abitazione privata. Sulla colonna centrale, di sostegno alle due arcate della facciata, sono ancora visibili alcuni caratteri ebraici.

34, 35

Contemporanei di Nathan e non meno famosi di lui furono Kolonimos ben Sabbatai e Sabbatai ben Mosé, distintisi nell'attività letteraria. Notizie intorno alla comunità ebraica romana, formata a quel tempo da circa duecento famiglie stimate e rispettate, ed ai nomi di dotti e di medici ebrei presso la corte pontificia possono essere attinte dal diario di viaggi scritto dall'ebreo spagnolo Beniamin da Tudela.

E' all'incirca in questo periodo — turbato dalla violenta lotta fra l'Impero e la Chiesa — che molti ebrei trasferirono le loro abitazioni dalla regione trasteverina alla zona intorno al Ponte Fabricio chiamato anche Pons Judaeorum e successivamente nei Rioni Sant'Angelo e Regola, dove fu costruita una nuova sinagoga.

61, 52

quarrel between the Emperor and the Pope — that many Jews moved their homes from Trastevere to the area around Ponte Fabricio, which was also called Pons Judaeorum, and, later, re-grouped in the Sant'Angelo and Regola quarters where a new synagogue was built.

61, 52

GROWING DISCRIMINATION

The attitude of the Papacy toward the Jews was characterized by discrimination, the scope of which was the separation and isolation of the Jews from the rest of the population. The "Pileus cornutus" — the round hat with a horn-like projection in the middle — which the Jews were forced to wear so that they should be recognisible on sight — goes back as far as the first decades after the year thousand. They are represented wearing it in works of art of the period: well-known examples are the figures in relief in the bronze doors of St. Zeno in Verona and the painting of the Jews paying homage to Henry VII in the "Codex Balduini Trevirensis".

As early as 1215 is the Church's ordinance, which was enforced from 1257, that the Jews should wear a distinctive device on their clothes: for the men a yellow circle (from 1310 a red cloak) and two blue stripes on their veils for the women.

But the humiliations and impositions were not limited to external appearance. Every attempt was made to frustrate them, even the encouragement of apostasy. In fact from 1584 they were forced to attend a sermon for their conversion, instituted in 1278 and only in 1847 was the practice abolished altogether by Pius IX. During the centuries there were also many forced baptisms; one of the last, the Mortara case in 1858, caused an uproar. A child from Bologna, who had been kidnapped by the Papal Gendarmerie was locked up in a convent in Rome and inspite of the fierce struggle of his parents, the interventions of several Eureopean monarchs and public demand to return him home, he was instead forced into the priesthood.

The mockery the Jews had to bear during the Carnival holiday was endless. They were forced to go nude on all fours with a rider on their back, in imitation of a horse race, to the glee of the crowd. Or as is shown in an etching of Pinelli, the oldest of the community would be rolled down Monte Testaccio in a barrel bristling with nails, out of which he would come dead or dying.

The Jews suffered violence or restrictions even in the least pleasant events of their life.

When the catacombs fell into dis-use, the oldest cemetery, first used

LA CRESCENTE DISCRIMINAZIONE.

Nell'atteggiamento del papato verso gli ebrei, si riscontra la tendenza ad una crescente discriminazione mirante alla separazione degli ebrei dal resto della popolazione. Risale ai primi decenni dopo il Mille il « Pileus cornutus » — cappello rotondo con una sporgenza al centro — che gli ebrei erano obbligati a portare per essere riconosciuti a vista. In questo modo essi vennero riprodotti anche nell'arte; classico esempio di ebrei con pileus cornutus sono le figure a rilievo sul portale bronzeo della chiesa di S. Zeno a Verona e nella riproduzione dell'omaggio degli ebrei ad Enrico VII nel Codex Balduini Trevirensis.

Nel 1215 il IV Concilio ecumenico lateranense sanciva l'obbligo per gli ebrei di portare sugli abiti un contrassegno, obbligo che venne rigorosamente attuato dal 1257: per gli uomini un cerchio giallo, che più tardi (1310) venne mutato in un tabarro rosso e per le donne due strisce blu sul velo. Tuttavia le umiliazioni e le imposizioni non si limitavano al solo aspetto esteriore degli ebrei. Si cercava in ogni modo di frustrarne anche lo spirito, costringendoli perfino all'abiura. Infatti la predica per la loro conversione istituita nel 1278 divenne per essi coatta nel 1584 e solo nel 1847 con Pio IX si giunse alla sua completa abolizione. Nel corso dei secoli molti furono poi i battesimi forzati; clamoroso fu nel 1858 — uno degli ultimi — il caso Mortara, il bambino bolognese rapito dalla gendarmeria pontificia, rinchiuso immediatamente in un convento a Roma e che, nonostante la strenua lotta dei genitori, l'intervento di vari sovrani d'Europa e le manifestazioni della pubblica opinione per ottenerne la restituzione, fu invece forzatamente avviato alla carriera ecclesiastica.

Innumerevoli furono i dileggi a cui gli ebrei venivano esposti durante le feste del Carnevale romano: costretti a portare in groppa come quadrupedi i contendenti ed a correre nudi il pallio per il sollazzo del popolo; inoltre, come raffigurato in una incisione del Pinelli, il più anziano della comunità fu fatto ruzzolare dal Monte Testaccio in una botte irta di chiodi, dalla quale veniva spesso estratto morente o già morto.

Gli ebrei vennero colpiti da restrizioni e da violenze morali perfino negli eventi funesti della loro vita.

Abbandonato ormai l'uso delle catacombe, il cimitero più antico fu quello di Porta Portese, rimasto in uso fino al 1645. In seguito e fino al 1894 — anno in cui entrò in uso l'attuale cimitero ebraico del Verano — le inumazioni vennero fatte in un campo sul declivio del-

48

48 in 1267, was the one in Porta Portese and it remained in use until 1645. After that, until 1894, when the present Jewish cemetery of Verano came into operation, burials were conducted on the slope 49 of the Aventine, overlooking the Circo Massimo and the imposing ruins of the Palatine, the oldest centre of Roman life, which rises up as a huge and severe panorama of sun and shade under its monumental cypresses.

From the very beginning these holy places were desecrated by the mob. Tombs were defaced and destroyed and almost always the perpetrators went unpunished.

Oppression of the Jews however was not only brought about by the mob. Urban VIII promulgated two inhuman decrees in 1625 and his successors, who applied them with utmost zeal (the decrees were operative until 1846) showed themselves to be anything but indulgent towards the Jews, forbidding them to put up lapidary stones or write inscriptions on any grave but a rabbi's, destroying those that existed, forbidding the singing of psalms or the carrying of lighted candles during the procession to the cemetery. Every external manifestation of Jewish life, even, clearly, their respect for the dead, was systematically inhibited.

From the first centuries of the year 1000 another weapon was used in the attempt to suffocate the life and culture of the Jews — the "perfidious Jews" as the Good Friday prayer expressed it from the fifth century up till the enlightened Papacy of John XXIII who got rid of the adjective. The weapon was the Inquisition, which, in its limited beginnings was content to seize copies of the Talmud. Three centuries later, with the title of "Holy Office", it threw itself on the Jews lighting up Campo de' Fiori with the sinister blaze from the burning piles of the Talmùd and other Jewish books.

THE JEWISH SYMPOSIUM: EMANUEL OF ROME

If the Jews of the thirteenth century suffered materially and if through such means as the coloured devices of which something has already been said, they suffered in their human dignity, nevertheless it was in this same period that they achieved high distinction in matter of the spirit. They excelled in the most various of fields, especially medicine and they rose to offices of great trust: the post of Papal Archiater, for example, was first held by Isaac of Mordechai.

They reaped the rich intellectual harvest sown by men of letters like Yehuda Halevi or philosophers like Maimonides and Ibn Ezra, and

l'Aventino, avendo in basso la Valle del Circo Massimo e, proprio di fronte, le imponenti rovine del Palatino, che — erede delle più antiche memorie di Roma — si erge in un panorama vasto e sereno fatto di luce e di maestosi cipressi.

49

Fin dalle origini, questi pii luoghi subirono assalti da parte della plebaglia e vennero esposti vandalicamente alla dissacrazione ed alla distruzione delle tombe, atti di violenza rimasti quasi sempre impuniti. Ma le vessazioni contro gli ebrei non vennero solo da parte del volgo. Urbano VIII, con due inumani decreti all'inizio del Seicento ed i suoi successori — che detti decreti fecero applicare con sommo zelo e per la cui abrogazione bisognerà giungere al 1846 — si mostrarono tutt'altro che indulgenti verso gli ebrei, vietando loro di apporre sulle tombe lapidi ed iscrizioni, fatta eccezione per i rabbini, ordinando la distruzione di quelle esistenti, proibendo di salmeggiare, di accendere candele, di fare cerimonie funebri durante il trasporto dei defunti al cimitero. Ogni segno esteriore della vita ebraica, anche nel culto dei defunti, era quindi sistematicamente inibita.

Dai primi secoli del Mille inoltre, per soffocare la tradizione e la cultura ebraica dei « perfidi ebrei » — appellativo ricorrente nella preghiera del Venerdì Santo dal V secolo fino all'illuminato pontificato di Giovanni XXIII che abolì questo epiteto — venne usata dal papato l'arma potente dell'Inquisizione, che limitandosi inizialmente al sequestro del Talmùd, tre secoli dopo, col nome di Santo Uffizio, doveva scagliarsi veementemente contro gli ebrei, rischiarando Campo de' Fiori con i cupi bagliori dei roghi con i quali venivano ridotti in cenere cataste di Talmùd e di altri libri ebraici.

IL CENACOLO EBRAICO: IMMANUEL DA ROMA.

Se gli ebrei nel Duecento furono distinti dal resto della popolazione per l'obbligo a loro fatto — come si è già detto — di portare sugli abiti quel segno, col quale si era voluto menomare la loro dignità umana, proprio in questo stesso periodo, essi riuscirono a distinguersi nel campo dello spirito, eccellendo nelle più svariate discipline, specialmente nella medicina ed assurgendo ad alte cariche di fiducia come quella di archiatro pontificio, ricoperta per primo da Isaac di Mordechai.

Raccolta la eredità di pensiero a loro lasciata da letterati come Jehuda Halevi o da filosofi come Maimonide e Ibn Ezra, arricchiti quindi dalla simbiosi culturale araba-ebraica della Spagna, gli Ebrei di Roma

enriched by the arabo-jewish culture of Spain they founded an erudite and fertile symposium. They had a deep knowledge of the Talmùd, the collection of Jewish maxims, rites, customs, laws and prayers which was the staple diet of the Jews of the Diaspora and the symbol of their moral homeland. Logically it was against the Talmùd that the Popes, beginning with Gregory IX, unleashed their concentrated anger.

Emanuel of Salomon, better known as Emanuel of Rome, a contemporary and, perhaps, friend of Dante was the leading spirit of this symposium. Himself a poet, he was not confined to Hebrew and was capable enough to move out into the literary life of the time.

In his talent the Hebrew language was re-born. His main work, "Machbaroth", printed for the first time in 1492, is written in a delicate, lively Hebrew, rich in new inventions. In the twenty eight works, some in prose and some in verse, he deals with all kinds of themes, usually more secular than religious and the ease and flow of expression speak of an exuberant temperament and vast learning. He was known and valued by his contemporaries and may rightly be considered the greatest poet of Roman Jewry and the bridge between Hebrew poetry and the Italian literary renaissance.

The fourteenth century was yet another rich in Jewish literature, philosophical speculation and advances in medical science, in the transcription and translation of codices.

36

The Avignon Papacy, the popular uprisings that came to a head in the insurrection of Cola di Rienzo which was, at first, backed even by the Roman Jews, the fierce troubles in a divided Catholic world which resulted in the schism of the Eastern Church — all these did not have much effect on the life of the Jews in Rome, who, in spite of the political disorder had looked after their own economy, setting up a system of small loans, which benefited both parties.

THE « WHEEL OF FORTUNE »

If we stop, however, for a moment, to examine the behaviour of the Church towards the Jews, we see a strange oscillation of feelings for and against, of hesitations, concessions, privileges and oppression depending on the person of the Pope elected. For the Jews, the election was, in Gregorovius' metaphor, a kind of tombola based on chance; it was like putting one's hand into the urn and jerking it out, choosing blindfold one's destiny.

avevano dato vita ad un cenacolo erudito e fecondo, basato anche sulla loro profonda conoscenza del Talmùd, somma di massime, usi, costumi, leggi e preghiere, libro quindi che fu sempre presente per gli ebrei della diaspora quale simbolo della loro patria morale e sul quale, più di ogni altro libro ebraico, si accentrò e si scatenò l'ira dei papi a cominciare da Gregorio IX. In questo cenacolo, fra gli altri, si distinse Immanuel di Salomone, più conosciuto come Immanuel da Roma, contemporaneo e forse amico di Dante, poeta che non restò chiuso nell'ambito della sola poesia ebraica, ma seppe spaziare, inserendosi nella vita letteraria dell'epoca.

Con lui la lingua ebraica ebbe la sua rinascita. La sua opera « Machbaroth », stampata per la prima volta nel 1492, è scritta infatti in un ebraico forbito, vivace e ricco di nuovi termini. Gli argomenti trattati nelle ventotto composizioni, di cui consta l'opera — parte in prosa e parte in rima — sono molto vari, più profani che religiosi e nella espressione e duttilità del linguaggio denotano l'esuberanza del temperamento e la vastità della cultura di questo poeta che, apprezzato già dai suoi contemporanei, può essere considerato giustamente come il più grande fra i letterati della comunità ebraica romana e punto d'incontro fra la poesia ebraica ed il rinascimento letterario italiano.

Anche il Trecento fu per gli ebrei di Roma un secolo fecondo per la letteratura, per la speculazione filosofica e per le scienze mediche, per la trascrizione dei codici e la traduzione di essi.

36

L'esilio del papato ad Avignone, i disordini popolari culminati nella sommossa di Cola di Rienzo, in un primo tempo appoggiata anche dalla collettività ebraica romana, i gravi turbamenti del mondo cattolico diviso ed il conseguente Scisma d'Occidente non ebbero una particolare incidenza sulla vita degli ebrei di Roma, che, nonostante, il disordine politico, avevano saputo tutelare la propria economia, instaurando un sistema di piccolo prestito, proficuo ai beneficiari, oltre che a se stessi.

LA « TOMBOLA ».

Con Bonifacio IX, che ridusse al minimo i poteri dell'Inquisizione, tutta la collettività ebraica romana poté godere di vari privilegi.

Se ci si sofferma però per un istante ad esaminare il comportamento della Chiesa verso gli ebrei, si avrà la visione di una strana altalena di sentimenti pro e contro di essi, di tentennamenti e di concessioni, di privilegi e di coercizioni secondo la persona del papa eletto al trono pontificio; mantenendoci aderenti alla similitudine del Grego-

The privileges conceded in the Papal Bull of Boniface IX in 1402 — that the Jews were to be considered like any other Roman citizen, that they were to be treated with respect, that they were to enjoy the freedom of the rest of the population — were very quickly diminished and attacked by the preaching of the Franciscans — especially in the period when the Papacy was occupied by three Popes at once. One of these Popes, Benedict XIII, the most stubborn of the antipopes during the Eastern Schism, made the Jews feel the whole weight of oppression with the Bull of 1415.

But the election of Martin V lifted the Jews from their misery again and not only did they enjoy a period of economic prosperity brought about by the spreading of the Church levy through the whole of the Papal States and by the abrogation of the veto on trading with Christians, but even spiritual peace; for, although the law regarding distinctive devices remained unappealed, it was binding on everyone not to molest the Jews during their ceremonies, to forcibly baptise children under twelve nor in general, to commit any hostile act against the Jews.

The protection that Martin had held out to the Jews was not continued by his successor, Eugene IV, who, though he forbade the beating of Jews during their festivities and the killing of them without authorization in his Bull of 1433, nevertheless in the forty two articles of the Bull of 1442 he forbade the Jews to study law or go in for any trade or skill, he ordered the abolition of the Rabbinical Courts and imposed a separate and segregated existence.

The sinister shadow of that which was to become the Ghetto, already appearing as it was, on the horizon, and the rigorous means used in applying this Bull, drove the Rabbis to meet in Congress at Tivoli in 1442. The repeal of the Bull, which the payment of large sums of money brought about, modified the hateful situation in which the Roman Jews had found themselves.

The election of the humane Nicholas V created new and favourable conditions for the Jews and, although there was sudden worsening under Callistus III who abolished every privilege hitherto conceded, the conditions continued to improve with the nomination to the Papacy of Enea Silvio Piccolomini, a humane and erudite patron of the arts.

rovius, la elezione di un pontefice era quindi per gli ebrei come una tombola basata sul caso, era come immergere la mano nell'urna e ritrarla in fretta, estraendo ad occhi bendati la propria sorte. I privilegi accordati da Bonifacio IX con la bolla del 1402, con la quale veniva promulgato che gli ebrei dovevano essere considerati come cittadini romani, dovevano essere rispettati e dovevano fruire delle libertà godute dal resto della popolazione, ben presto vennero sminuiti e contrastati dalle violente prediche dei Francescani, specie nel periodo in cui il trono pontificio contemporaneamente veniva occupato da tre papi, dei quali Benedetto XIII — il più ostinato degli antipapi durante lo Scisma d'Occidente — fece sentire agli ebrei, con la bolla del 1415, tutto il peso delle vessazioni.

La elezione di Martino V sollevò nuovamente le sorti degli ebrei ed essi ebbero un periodo non solo economicamente prospero — avendo il pontefice suddiviso fra tutte le comunità dello Stato Pontificio l'obbligo di pagare il tributo dovuto alla Chiesa ed avendo abrogato il divieto di unirsi in affari con i cristiani — ma anche spiritualmente tranquillo perché, anche se restava inalterata l'imposizione del distintivo sugli abiti, veniva a tutti fatto divieto di molestare gli ebrei durante le loro cerimonie, di fare battesimi forzati per bambini non ancora dodicenni e di commettere in genere qualsiasi atto di ostilità contro gli ebrei. La protezione concessa da Martino non venne riconfermata quattordici anni dopo dal suo successore Eugenio IV, che con la bolla del 1433 decretò la proibizione di bastonare gli ebrei durante le loro festività e vietò l'uccisione di essi senza autorizzazione, ma più tardi, con i quarantadue articoli della bolla del 1442 proibì ad essi di studiare legge, di dedicarsi all'artigianato e ad ogni arte e mestiere, ordinò l'abolizione delle corti rabbiniche ed impose di vivere separati e segregati dai cristiani.

L'ombra funesta di quello che sarebbe stato il futuro ghetto, profilandosi già sull'incerto orizzonte degli ebrei di Roma e le rigorose misure usate nell'applicazione di questa bolla, spinsero i rabbini ad unirsi in congresso a Tivoli nel 1442. Il ritiro della bolla, ottenuto dopo il pagamento di forti somme in danaro, riuscì a modificare l'odiosa situazione che si era venuta a creare per la collettività ebraica romana.

Le circostanze nuovamente favorevoli createsi per gli ebrei di Roma con la elezione di Niccolò V, papa umanista, dopo aver subìto un rapido declino sotto Callisto III, che abolì ogni privilegio fino allora

SPANISH JEWS TAKE REFUGE

But the sky was darkening for the Jews in Spain, as soon it was to for the Roman Jews. Hated by Tommaso di Torquemada, the head of the Inquisition, the Spanish Jews were about to suffer the same fate as the "Marrani", Jews, who though converted by force to Christianity, continued to believe in Judaism, practising faithfully all its rites.

Sixtus V declared himself against the Jewish community, and no less inexorable than the Inquisition. The terrible edict of 1492 marked a fatal moment in the history of the Spanish Jews. The alternatives of baptism or exile shook the foundations of their lives. The "auto-dafé" executed with no mercy in the public squares by the fanatical inquisitors were an index of barbarous intollerance, an outragious violation of human rights.

The Jews, who had contributed so actively to the economy and culture of Spain, were forced to flee to avoid a greater and final catastrophe and desperately seek elsewhere for hospitality and tolerance. The year 1492 which, for the rest of the world, opened the road to a new continent, which with the discovery of America enlarged the boundaries of the world and which coincided with the initial splendour of the Renaissance — a period fed by the stream of a new and potent inner life, to which were central the notions of realism and individualism and a profound sense of human dignity — was instead, for the Jews of Spain, the date of the Inquisition, the date of their degradation and dispersal through Europe.

The departure in mass of the Jews was for Spain an enormous loss of intelligence and energy as well as wealth.

Just as the fall of Constantinople had brought about the departure of Greek scholars for the West and European culture had benefited and developed from contact with Greek thought, so the fall of Grenada which caused two hundred thousand Jews and "Marrani" to leave Spain, helped to spread the culture and traditions of the sefardim, the Spanish Jews. When at the end of 1492, the expulsion of all Jews from Spain was effected, the Roman Jews, by order of Alexander VI took in a part of them and increased in number.

The union, however, between the Roman Jews and the Spanish refugees was anything but happy; fusion never occurred and even among the Spanish Jews themselves divisions came about between people from different localities.

concesso, ripresero la fase ascensionale con la nomina al soglio pontificio di Enea Silvio Piccolomini, anche egli umanista, mecenate ed erudito.

EBREI SPAGNOLI SI RIFUGIANO A ROMA.

Ma fitte nubi — che presto avrebbero fatto sentire il loro peso sulla vita degli ebrei di Roma — stavano addensandosi intanto sul capo degli ebrei spagnoli, che, invisi a Tommaso di Torquemada capo dell'Inquisizione, stavano per seguire la sorte già riservata ai « marrani », ebrei forzatamente convertiti al cristianesimo, ma che segretamente continuavano a professare la religione ebraica, praticando fedelmente i suoi riti.

Sisto V fu inesorabile verso di loro ed ancor più inesorabile fu l'Inquisizione. Il terribile editto del 1492, che segnò un punto fatale nella storia degli ebrei di Spagna, con l'alternativa fra il battesimo e l'esilio, sconvolse radicalmente la loro esistenza. Gli autodafé, per il fanatismo degli inquisitori eseguiti senza pietà sulle pubbliche piazze, furono indici di barbara intolleranza, infame violazione di ogni diritto umano. Gli ebrei, che in maniera tanto fattiva nell'economia e nel campo del sapere avevano contribuito alla civiltà della Spagna, si videro costretti a fuggire per evitare una maggiore e completa catastrofe, costretti a cercare disperatamente altrove ospitalità e tolleranza. La data del 1492, che aprì a tutti i popoli della terra le vie di un nuovo continente, che con la scoperta dell'America allargò quindi i confini del mondo e che coincise col primo splendore del Rinascimento — periodo alimentato da una nuova e potente vita interiore, e da un più profondo senso di dignità umana — per quanto riguarda gli Ebrei di Spagna coincise invece con la data della Inquisizione, della degradazione e della dispersione in Europa.

L'esodo in massa degli ebrei spagnoli fu per questa nazione una immane perdita di energie e di intelligenze oltre che di ricchezze. Come la caduta di Costantinopoli aveva provocato l'esodo di dotti greci verso l'occidente e la cultura europea, venendo a contatto con studiosi del pensiero greco, era venuta arricchendosi ed ampliandosi, così la caduta di Granata, provocando l'esodo dei duecentomila ebrei e marrani, contribuì a diffondere la cultura e le tradizioni dei Sefardim — ebrei spagnoli — e quando alla fine del 1492 l'espulsione di tutti gli ebrei dalla Spagna risultò un fatto compiuto, la comunità ebraica di Roma, per ordine del papa Alessandro VI, accolse una parte di essi, aumentando così di numero.

Il connubio fra la collettività ebraica romana ed i profughi ebrei

It should not surprise us, given the large number of refugees not only from Spain, but later from Sicily, Sardinia, Portugal, Southern Italy, France and Germany, and considering the instinctive refusal to integrate based on an innate conservatism and attachment to tradition, even to forms of prayer and different music in the liturgy, that there were as many as ten synagogues in Rome at the beginning of the sixteenth century, which became five as the century progressed.

The fifteenth century and its humanistic movement, superceding a period of ignorance, saw the rise of a new civilization and, with the invention of printing, had a powerful instrument at its disposal for spreading the new culture. The Bible was the first book to be printed by Gutenberg, in 1456 at Mainz. Nine years later the first Italian printing press was set up in Subiaco and, in 1475, in Reggio Calabria, at the tip of the peninsula, the first Hebrew book came off the press. The Jews very quickly entered into this new activity, which had been created to help the diffusion of the currents of thought born out of the shattered ideology of the Middle Ages. Recognizing its fundamental importance for the strengthening of Jewish culture the first Jewish printers defined their art as the "holy work". With the approval of Leo X, the first Jewish printing press in Rome was set up in Piazza Montanara in 1518, and the first book printed there was the "Sepher Haharkabah". For the Jews Leo's papacy was extraordinarily happy and peaceful while Rome was in the full splendour of its artistic life and the man of the Renaissance enjoyed the conquest of full and conscious autonomy.

THE RENAISSANCE: NEW HOPES FOR THE JEWS

Rafael immortalized the Bible in the frescoes he painted in the thirteen ceiling vaults of the Vatican Loggias; Michelangelo let his inspiration run free; the prophets painted in the Sixtine Chapel had the same physical features as the Hebrews who came out of Egypt and crossed the desert towards the Promised Land, and Moses, whose physical perfection is trapped forever in marble, vibrates with the same vigour and moral force that surely must have marked him in his descent from Sinai.

The age of treachery and terror that had begun with the Inquisition, the tragedy of the Jews in the Iberian Peninsula, the three occasions when the Tiber flooded — all now seemed a long time ago: the delusions suffered gave way to hopes.

On the threshold of the Papacy was a Medici, the second born of Lorenzo the Magnificent, and a man strong for peace, as Julius II

Gli Ebrei presentano il rotolo della Toràh al Papa neo eletto.
The Jews present a scroll of the Toràh to the newly elected Pope.
(B. Picart "1673-1733", Paris 1725).

La cerimonia sinagogale dell'elevazione della Toràh.
The synagogal ceremony of the elevation of the Toràh.
(B. Picart "1673-1733", Paris).

della Spagna si dimostrò tutt'altro che facile: la fusione non si ebbe mai; del resto anche fra gli stessi ebrei spagnoli vennero a formarsi vari gruppi, secondo i luoghi della loro provenienza.

Dato il grande numero di fuggitivi, provenienti non solo dalla Spagna, ma successivamente anche dalla Sicilia, dalla Sardegna, dal Portogallo, dall'Italia meridionale, dalla Francia e dalla Germania e l'istintivo rifiuto ad una integrazione reciproca per l'innato conservatorismo ed attaccamento alle tradizioni, ai formulari di preghiera, alla diversa melodia del canto liturgico, essi ebbero separate case di preghiera, così che all'inizio del Cinquecento si contavano a Roma ben dieci sinagoghe, ridottesi a cinque durante il corso del secolo.

Il Quattrocento, caratterizzato dal movimento umanistico, aveva dato inizio ad una civiltà nuova ed al mondo l'invenzione della stampa, potente mezzo per diffondere appunto la nuova cultura. La Bibbia fu la prima opera che vide la luce ad opera di Gutenberg, nel 1456 a Magonza. Nove anni dopo, a Subiaco, in Italia, nasceva la prima tipografia e a Reggio Calabria, nella estremità della penisola, nel 1475 veniva estratto dal torchio, per la prima volta nel mondo, un libro ebraico.

In questa attività, nata per favorire largamente la diffusione delle nuove correnti di pensiero dopo lo sgretolamento delle ideologie medioevali, gli ebrei si inserirono presto. Si eran resi conto, per la diffusione della cultura ebraica, della fondamentale importanza del « sacro lavoro » come venne definita la nuova arte dai primi tipografi ebrei. A Roma, con l'approvazione di Leone X venne aperta nel 1518 a piazza Montanara la prima tipografia ebraica, il cui primo libro fu il « Sefer Haharkabah ». Per gli Ebrei di Roma si aprì con questo pontefice un periodo straordinariamente sereno e felice, mentre l'uomo nuovo del Rinascimento aveva acquisito la completa coscienza della propria autonomia e Roma era in pieno splendore di vita artistica.

IL RINASCIMENTO: NUOVE SPERANZE PER GLI EBREI.

Raffaello, affrescando le tredici volticelle delle Logge Vaticane, eternava la Bibbia; Michelangelo lasciava libero il suo estro prorompente: i profeti della Cappella Sistina ebbero gli stessi tratti somatici di quegli ebrei che, usciti dall'Egitto, attraverso il deserto si erano incamminati verso la Terra Promessa ed il Mosé, dalla perfezione anatomica imprigionata e fissata per sempre nel marmo, racchiuse lo stesso vigore e la stessa forza morale che certo dovevano essergli stati peculiari nella discesa dal Sinai.

was strong for war. Leo X, a great and generous patron and a gentle incumbent of the Papacy treated the Jews with humanity. He gathered around him Jewish physicians and musicians, set up a chair of Hebrew at the Della Sapienza University, protected by edict the bankers, permitted the Talmùd to be reprinted, under papal concession, by Daniel Bombergue, a printer of Anvers and reconfirmed the Jews in all the privileges that had been granted by his predecessors. Many Jews came to believe that this position of favour — so unusual for them — marked the end of the times of humiliation, of discrimination and oppression.

In such peace of mind and well being the Jews dedicated themselves with growing interest to medicine, mathematics, astronomy, history and many other fields of human knowledge. Even women where initiated into the sacred writings. In fact in Rome in 1524 apart from the large number of scholars, among whom was Elia Halevita a famous grammarian, Obadia Sforno, philosopher and physician and Josef Zarfati, poet and physician there was also, it appears, a Rabbiness.

THE REORGANIZATION OF THE COMMUNITY

Obadia Sforno and Josef Zarfati along with Daniel di Isaac of Pisa were asked to heal the dissensions that had for thirty years divided the Jews into two groups, the Romans and the Immigrants, and in 1524 managed to create an ordered stability with the election of the "Congress of Sixty", who served as administrators, the "Factors" who had executive powers, of "Camerlenghi" who were treasurers and accountants and finally "Taxers".

The new constitution based on "Chapters" and approved by Clement VII in a Bull of 1524, was operative up to the nineteenth century, when modifications occurred.

A PSEUDO-MESSIANIC MOVEMENT: DAVID REUBENI IN ROME

In 1524 an important event linked the hopes and enthusiasm of the Jews to the political considerations of the Pope.

David Reubeni, an adventurous Jew from Arabia, arrived in Rome proclaiming to be destined to the extraordinary mission of freeing Jerusalem from the Turks and leading back the Jews to the Promised Land. The Pope saw in him the instrument for the realisation of the old dream of the Church, and the Jews believed that the time of the diaspora was finished. But Reubeni's absurd and implausible project came to a swift conclusion when, after Italy and Portugal, he went to Spain where he died in prison or at the stake.

L'età della perfidia e del terrore instaurati dall'Inquisizione, la tragedia degli ebrei nella penisola iberica, le tre grandi inondazioni del Tevere, sembravano ormai lontane nel tempo, le delusioni patite lasciavano il posto alle speranze.

Sul soglio pontificio vi era un Medici, secondogenito di Lorenzo il Magnifico, fautore di pace, dopo Giulio II, fautore di guerre. Leone X, mecenate e prodigo, mite reggitore del papato, fu umano verso la collettività ebraica, chiamò presso di sé medici e musicisti ebrei, istituì una cattedra di ebraico alla Università della Sapienza, protesse con un editto i banchieri, permise che il Talmùd venisse ristampato con privilegio pontificio da Daniele Bombergue, tipografo di Anversa e riconfermò inoltre agli ebrei tutti i privilegi, loro accordati dai suoi predecessori. Questa favorevole situazione, inusitata agli ebrei, spinse molti a credere che i tempi dell'umiliazione, della discriminazione e dell'oppressione fossero definitivamente tramontati.

Godendo di tranquillità e di benessere, gli ebrei si dedicarono con sempre crescente interesse alla medicina, agli studi matematici, alla astronomia, alla storia ed a molti altri rami del sapere umano. Anche le donne furono edotte nelle Sacre Scritture; a Roma infatti nel 1524 risulta esservi stata una donna « rabbinessa », oltre a moltissimi dotti fra i quali Elia ha Levita, grammatico insigne, Obadia Sforno, filosofo e medico, e Josef Zarfati, medico e poeta.

IL NUOVO ASSETTO DELLA COMUNITA'.

Questi ultimi due, capi della comunità ebraica di Roma, insieme a Daniel di Isaac di Pisa, chiamato a comporre i dissidi che per trenta anni avevano diviso gli ebrei in due gruppi, quello romano e quello degli immigrati, nel 1524 riuscirono a dare alla comunità uno stabile assetto con la nomina della « Congrega dei Sessanta », organo amministrativo, dei « Fattori », che avevano funzione di potere esecutivo, dei « Camerlenghi », cassieri e contabili e dei « Tassatori », preposti alle tassazioni.

Questa nuova costituzione della comunità ebraica di Roma, basata su « Capitoli » ed approvata con una bolla da Clemente VII nel dicembre 1524, restò in vigore fino al diciannovesimo secolo, periodo in cui vi vennero apportate delle modifiche.

MOVIMENTO PSEUDO-MESSIANICO· DAVID REUBENI A ROMA.

Nel 1524 un importante evento associò l'entusiasmo e le speranze degli ebrei di Roma alle considerazioni politiche del papa.

David Reubeni, avventuroso ebreo proveniente dall'Arabia, giunse a Roma, proclamando di essere destinato a portare a termine la straor-

The fact that the Jews let themselves be so easily convinced by the words of a mystic and adventurer like Reubeni, the fact that they had such illusory hopes at all goes to show that they sensed a coming delusion brought on by the failure of the liberal ideas of the Renaissance. Even more it shows that their attachment to the Holy Land had never weakened.

The doctrine of Luther and the open hostility of the ninety five articles fixed to the Cathedral door in Wittenberg and the subsequent spread of the Reformation through Europe naturally affected the Papacy, which found in Paul III the initiator of the Counter-Reformation. During his reign and during that of his successor Julius III the Jews of Rome had their last period of tranquillity before being shut away behind the narrow and sordid boundaries of the ghetto which held them in its cruel grasp for the following three centuries.

The anti-protestant campaign of Paul III, who gave official recognition in 1540 to the Society of Jesus founded by Loyola, was based on the organization of the Roman Inquisition, which took the name of Holy Office in 1542. In its Counter-Reformation the Church used both, the Society of Jesus and the Holy Office and the Jews were not behindhand in discovering the oppression of both. For the Jews a time of bitter persecution was inexorably arriving, presaged in the attack on Jewish books, the unappealable order to destroy the Talmùd that took the form of bonfires, beginning in 1553, in Campo de' Fiori, at the Jewish New Year, and spreading quickly to other cities.

A THREE-CENTURY LONG INIQUITY: THE GHETTO

52, 42, 43

When Paul IV, ascended the Papal throne the painful destiny of Roman Jews began. Worse than any other Pope who attacked the Jews, he crammed them all into that piece of medieval Rome between Ponte Quattro Capi, The Portico of Octavia, Piazza Giudea and the river. At the beginning of the thirteenth century a part of the Jewish population, which from the very beginning had settled in Trastevere, had moved to this zone. Incomparably different, however, was the situation in which they were massed together and forced to live in seclusion in an area of about seven acres. From 1558 to 1848 they lived there, behind the wall with the two, and then more, gates that shut without fail at sundown.

The Ghetto brought about by the Papal Bull "Cum nimis absurdum", arose therefore almost in the same place in which the Senate had

dinaria missione di liberare Gerusalemme dai Turchi e di ricondurre gli ebrei nella Terra Promessa. Il papa vide in lui lo strumento per la realizzazione dell'antico sogno della chiesa, gli ebrei credettero fosse giunta la fine della diaspora. Ma l'assurda, inverosimile avventura di Reubeni, dopo alterne vicende in Italia ed in Portogallo, non tardò a concludersi in Spagna con la sua morte.

Il fatto che gli ebrei così facilmente si fossero lasciati ammaliare dalle parole del mistico avventuroso Reubeni, nutrendo speranze che si dimostrarono invece illusorie, sta a dimostrare che essi percepivano un senso di delusione per la mancata realizzazione delle idee liberali promesse dal Rinascimento e sta a dimostrare ancor più che non si era mai spento in loro l'attaccamento alla Terra Santa.

La dottrina di Lutero, in aperta polemica con Roma, con le novantacinque tesi affisse sulla porta della Cattedrale di Wittenberg ed il conseguente dilagare della Riforma in Europa influirono naturalmente sul Papato, che ebbe in Paolo III l'iniziatore della Controriforma. Gli ebrei di Roma, sotto di lui e sotto il suo successore Giulio III, vissero l'ultimo periodo di tranquillità prima di venir rinchiusi in clausura nell'esiguo e sordido recinto del ghetto, che li strinse come in una morsa di ferro per i successivi tre secoli.

L'azione antiprotestante di Paolo III, che nel 1540 aveva dato il suo riconoscimento ufficiale alla Compagnia di Gesù fondata dal Loyola, si basò sull'organizzazione dell'Inquisizione romana, che prese il nome di Santo Uffizio (1542). Per la sua opera di controriforma la Chiesa si servì quindi della Compagnia di Gesù e del Santo Uffizio e gli ebrei di Roma non tardarono a sentire il peso dell'uno e dell'altra. Per loro stava inesorabilmente approssimandosi il deprimente periodo del Ghetto, presagito dalla persecuzione dei libri ebraici, dall'ordine perentorio di distruggere il Talmùd, ordine concretatosi nelle fiamme di un rogo, che divampate durante il Capodanno ebraico in Campo de' Fiori (1553), si propagarono ben presto ad altre città.

UNA INFAMIA DI TRE SECOLI: IL GHETTO.

Quando sul trono pontificio salì Paolo IV, ebbe inizio il fosco destino degli ebrei di Roma. Egli, che più di ogni altro papa si scagliò contro gli ebrei, li fece stipare tutti in quel tratto della Roma medioevale compreso fra Ponte Quattro Capi, il Portico d'Ottavia, Piazza « Giudìa » ed il fiume.

52 42, 43

Già agli inizi del Duecento una parte della popolazione ebraica, stanziata fin dalle origini in Trastevere, si era trasferita in questa zona,

welcomed Vespasian and Titus on their return from the Jewish War, close to the Portico d'Ottavia where both had begun their triumphal processions. Thus, next to the marble grandeur of the Portico of Imperial Rome, this compound-called successively the "Serraglio" (the enclosure), "Claustro" (the cloister) or the "Confine of the Jews" — a tangle of small streets, of alleys and cul-de-sacs, a heap of dark and unhealthy hovels, of gloomy little shops regularly invaded by the slimy water of the Tiber, this human ant heap held all the Jews of Rome. Elbow to elbow they went about resigned and hard working, vainly hoping that a ray of sunlight would find its way among the hundreds of houses, piled one on another or jammed together, and touch the shaking corbelled galleries.

Under the Romans, the Jews had not been forced to live anywhere, they had worn the pallium or the toga without any distinguishing mark, their language had been Greek or Latin, they had enjoyed full citizenship and, in the public assemblies, the right of vote.

During the three centuries of the history of the ghetto instead the teeming crowd of Jews, already exposed to continuous and tragic flooding of the Tiber and subject, because of the narrow confines in which they lived, to a promiscuous intimacy, was vexed by the popes with prohibitions that at times arrived at the point of limiting their activity to rag selling and with a penal taxation that made life intolerable.

As pope followed pope, according to their humour, the edict of Paul IV was severely or laxly carried out but never repealed. From 1555 to 1870 papal policy towards the Jews oscillated more than ever before, but in a consistent and calculated way: the reins were slackened when the Jews were poverty-stricken so that they might recover and pay the tribute to the papal treasury and tightened fiercely when their condition threatened to become prosperous or when they began to form links with the world surrounding them.

Neither the halt in hostility called by some popes nor a papacy of five years like that of Sixtus V who exempted the Jews from having to wear the badge and allowed them to follow any trade or art, who let them built schools and synagogues according to the need, who employed Jewish physicians and enlarged the ghetto, can wipe out the memory of those papacies marked by a settled hatred of the Jews which came before and after these events. It is enough to remember on the one hand, the Bulls of Pius V and Clement VIII, the prohibi-

ma ben diversa fu la vita degli ebrei quando essi furono concentrati in massa e costretti a vivere in clausura dal 1555 al 1848 in questo luogo di tre ettari circa, recintato da un muro e munito di due porte, che si chiudevano inesorabilmente al tramonto e che nel corso dei secoli aumentarono di numero.

Il ghetto, voluto dal Papato con la bolla « Cum nimis absurdum », sorse quindi circa nello stesso luogo in cui Vespasiano e Tito vennero accolti dal Senato Romano al loro ritorno dalla guerra giudaica, proprio accanto al Portico d'Ottavia, da dove ebbe inizio il fastoso trionfo di entrambi. Così, accanto alla grandezza marmorea del Portico della Roma imperiale, quel recinto — chiamato successivamente « Serraglio » « Claustro » o « Reclusorio degli ebrei » — in un groviglio di straducole, di angiporti, di sordidi diverticoli, in un ammasso di casupole buie e malsane, di bottegucce tetre e troppo spesso invase dalle acque limacciose del Tevere, contenne tutti gli ebrei di Roma.

In questa topaia umana essi vissero gomito a gomito, aggirandosi rassegnati ed operosi, fra le viuzze, attendendo invano un raggio di sole per le loro case ed i loro cuori.

Sotto i Romani, gli ebrei non erano stati costretti ad una residenza coatta, il loro vestiario era stato il pallio o la toga senza alcun distintivo particolare, la loro lingua il greco o il latino, essi avevano goduto della cittadinanza romana, nelle assemblee avevano avuto il diritto di voto.

Nei tre secoli della storia del ghetto invece, la folla formicolante degli ebrei, per la ristrettezza del luogo esposta ad una grande promiscuità e per l'ubicazione a continue tragiche inondazioni del Tevere, venne angariata da parte dei papi con proibizioni che a volte giunsero a limitare le loro attività al solo commercio degli stracci e con un gravoso ed esoso regime fiscale che rese la loro vita insopportabilmente asfittica.

Col susseguirsi dei pontefici e secondo i loro umori, l'editto di Paolo IV venne severamente applicato o in parte attenuato nella esecuzione, ma non venne mai abrogato. Dal 1555 al 1870, ancor più che nel passato, la politica papale verso gli ebrei oscillò in maniera continua e prudente: si allentarono le redini quando gli ebrei si trovavano in misere condizioni economiche per poter dar loro la possibilità di riprendersi e di pagare i tributi all'erario pontificio, si dette nuovamente una strappata al morso, con mano impietosa ed ener-

tions of Paul V and Urban VIII and, skipping much, come to the forty four paragraphs in the edict of Pius VI which was reproclaimed by Leo XII and on the other hand to examine the constant supplications adressed by the Jewish leaders to the various incumbents of the Papacy, to realize in what desolation the Jews of the ghetto found themselves.

LIFE IN THE GHETTO

The hundred and thirty houses that sheltered the Jews in the seventeenth century formed a single mass within the city. The church of S. Gregorio della Divina Pietà with its Hebrew inscription from the prophet Isaiah, which we can still see affixed to the wall below the frescoe of the Crucifixion on the façade — a unique arrangement for a church — was then situated in front of the main gate of the ghetto. During the long centuries of segregation, through this or that gate of the ghetto the Jews watched the ever more frequent arrival of police in search of books and watched them depart, their wagons piled high, for the Inquisition.

44

This continual impoverishment of the cultural heritage of the ghetto did not prevent an almost universal literacy. Certainly there could not be the vast and multiform renaissance culture in the Jew of the ghetto from the moment that he was cut off by the wall, but despite the wall the verse of the poetess Debora Ascarelli, the works of the physician Zahalon and the reputation of the astute talmudic interpretations of Tranquillo Corcos who was for all of thirty two years the fulcrum of ghetto cultural life, have all come down to us.

The language characteristic of the ghetto has also come down to us. It was a Jewish-Romanesque dialect, a mixture in the thirteenth century of Hebrew and dialectal Italian, written always, however, in the Hebrew characters familiar to any Jew since all could read the prayer books, which after sixteen hundred underwent a slow transformation when it became dialectal Italian strewn with innumberable Hebrew words. This lively and picturesque vernacular, used by the poet Crescenzo Del Monte, in recent times, in poetry of a rich humanity, is still spoken by many Jews in present day Rome.

SOLIDARITY AND COMMUNAL FEELING IN THE GHETTO

It is indubitable that the Jews forced to live in the inhuman conditions of the ghetto, outcasts of society, the more they were materially oppressed, the more they felt the force of their ancestors' ancient faith; they did not allow themselves to be broken by the zeal of Loyola, the founder of the "Casa dei Catacumeni e neofitti" nor by

gica, quando le loro condizioni cominciavano a rinverdire o a stabilirsi maggiori rapporti col mondo che li circondava.

Né la tregua di alcuni papi né un pontificato di cinque anni come quello di Sisto V, che attuò l'esenzione del segno sugli abiti, che concesse agli ebrei il diritto di applicarsi ad ogni arte e mestiere, che permise di erigere scuole e sinagoghe secondo il fabbisogno, che si servì di medici ebrei, che ampliò il recinto del ghetto, possono far passare la spugna su quei pontificati, consolidatisi nell'odio antiebraico che lo precedettero o lo seguirono. Basta tener presenti da una parte la bolla di Pio V, quella di Clemente VIII, i divieti di Paolo V e di Urbano VIII e sorvolando altri nomi giungere ai 44 paragrafi dell'editto di Pio VI, riproclamato da Leone XII e dall'altra esaminare le costanti suppliche che dai capi della comunità ebraica venivano indirizzate al pontefice, di volta in volta in carica, per rendersi conto dello stato di disperazione in cui si trovavano gli ebrei del ghetto.

LA VITA DEL GHETTO.

44

Le centotrenta case, che nel Seicento dettero asilo agli ebrei, formarono un singolare agglomerato nella città. Di fronte alla chiesa di S. Gregorio della Divina Pietà, sulla cui facciata sotto l'affresco della Crocifissione è ancor oggi murata — circostanza unica per una chiesa — una iscrizione ebraica con le parole del profeta Isaia, si apriva una delle otto porte del ghetto. Nei lunghi secoli di segregazione, da questa e dalle altre porte del ghetto, gli ebrei videro sempre più spesso entrare gli sbirri per perquisizioni e confische di libri ed uscirne con carri carichi destinati ai capi dell'Inquisizione.

Nonostante questo continuo impoverimento del patrimonio culturale del ghetto, l'analfabetismo fu quasi completamente assente. Certo non poteva più esservi la vasta e poliedrica cultura rinascimentale nell'ebreo del ghetto, dal momento che era stato segregato e rinchiuso dietro un muro, ma, nonostante quel muro, sono giunti fino a noi i versi della poetessa Debora Ascarelli, le opere del medico Zahalon e la fama delle acute interpretazioni talmudiche di Tranquillo Corcos, per ben trentadue anni fulcro della vita culturale del ghetto.

Fino a noi è giunto anche il caratteristico linguaggio degli ebrei del ghetto, il dialetto giudaico-romanesco, che già nel Duecento era un misto di ebraico e di italiano dialettale, trascritto però sempre in caratteri ebraici, familiari ad ogni ebreo, essendo tutti in grado di leggere i libri di preghiere e che dopo il Seicento subì una lenta trasformazione, diventando soprattutto dialetto italiano con molte

the closing of the synagogues, nor by the destruction of the Talmùd and every other prayer book nor by the compulsory attendance at sermons nor by the forced baptisms and forced conversions which ever increased in number. Any pretext was good for imposing exorbitant and absurd taxes, but no Papal Bull or edict could cancel the faith that united them.

In the ghetto they never attained a high standard of living worn down as they were by an oppressive regime; they had to concentrate their energy — especially during the eighteenth century — in the fight against the papal treasury. In other words the daily fight that they were forced to engage in became identified with the problem of survival.

The tributes imposed by the Papacy were heavy and many. To the essential ones others were on occasion added and though often the reason for the imposition disappeared, the tax remained.

About three quarters of the ghetto Jews in the eighteenth century were engaged in the making and mending of clothes, the others were harness or sieve makers or engaged in some other craft; or they were second-hand dealers, carpenters, pedlars of iron ware or amulets. This seething crowd, tattered and worn, busying itself with rags, bent with work, tribulations, misfortune and moral suffering — spoken of with fine sensibility by non-Jewish historians like D'Azeglio, Gregorovius and About — managed to survive in the ghetto by the very closeness of the ghetto, through the tenacity and solidarity of all its components. The five surviving synagogues, the University and the sodalities for three centuries formed the connecting tissue of the ghetto. Spiritual and material help was based on brotherhood and therefore was not a bounty conceded by the rich to the poor; it was not dictated by pity but by a deep and responsible sense of solidarity.

The sodalities, both great and small, interested themselves in all kinds of activity, from the education of the young to assistance for
65 the ill, the widowed and the orphaned; from burial of the dead to dowries for poor girls, from the study of law to all kinds of good works which helped to keep the Jews united and make of tradition an active force that, generated by the individual passed out as a life-giving element into the whole life of the ghetto.

But the everyday reality of the winding alleys, the dark hovels and

parole ebraiche. Questo vernacolo vivace e pittoresco, usato in tempi recenti da Crescenzo Del Monte nei suoi versi così umani, viene ancora parlato da moltissimi ebrei della Roma odierna.

COESIONE E SOLIDARIETA' DEL GHETTO.

E' un fatto che quei reietti della società, quegli ebrei destinati a vivere in condizioni inumane nel ghetto, più vennero oppressi dall'esterno e più sentirono dentro di sé la forza che scaturiva dalla fede degli avi; non si lasciarono piegare dallo zelo del Loyola, creatore della « Casa dei Catecumeni e neofiti » né dalla chiusura delle Sinagoghe né dalla distruzione dei Talmùd e di ogni libro di preghiera né dalle prediche obbligatorie, dai battesimi coatti o dalle conversioni forzate che divennero sempre più numerose. Ogni pretesto poteva sottoporli a balzelli esosi ed assurdi, ma nessuna bolla od editto papale poteva cancellare dal loro cuore la fede che li teneva uniti.

Nel ghetto la comunità ebraica non riuscì mai a raggiungere un alto livello di vita, oberata come era da un regime vessatorio; essa dovette concentrare tutte le proprie energie — specialmente durante il Settecento — per combattere contro il fisco pontificio, in altri termini la lotta diuturna, che la comunità fu costretta a sostenere, s'identificò con il problema per la propria sopravvivenza.

I tributi imposti dal potere pontificio furono gravosi ed innumerevoli, dato che a quelli essenziali vennero ad aggiungersene di volta in volta altri che, richiesti in primo tempo per ragioni occasionali, si trasformarono in definitivi, anche venendo a mancare col tempo la causale che li aveva determinati.

Circa i tre quarti degli ebrei del ghetto, nel Settecento, si dedicarono a lavori di sartoria per abiti nuovi ed usati ed al lavoro del rattoppo, gli altri furono indefessi in quello dei finimenti dei cavalli e dei setacci ed in altre specie di artigianato o furono rigattieri, carpentieri, venditori ambulanti di ferramenta o di amuleti. Questa brulicante folla intenta a rimaneggiare stracci, smunta e trasandata, china per il lavoro e le tribolazioni, le sventure ed i patimenti morali — osservata da storici non ebrei come D'Azeglio, Gregorovius ed About e fissata con grande sensibilità nelle pagine dei loro libri — riuscì a sopravvivere al ghetto per la compattezza stessa del ghetto, per la tenacia e lo spirito di solidarietà di tutti i suoi componenti. Le cinque Sinagoghe esistenti, l'Università e le Confraternite formarono per ben tre secoli il tessuto connettivo del ghetto. L'assistenza spirituale e sociale si basò sulla fraternità, non fu quindi beneficenza elargita

wet cellars, the very air, was of an intolerable stench. In contrast to the splendidly decorated synagogues, the outside appearance was vile and disgusting and the word "ghetto" has passed on as a sad inheritance in common speech and means any miserable and sordid place. How many when they used the word will have stopped to examine the basic problem and have troubled to find out who really was responsible for that filth which — in conscience — the Jews cannot be blamed, forced as they were by others to live wedged together in such dreaful conditions? How many when they call the Jews second-hand dealers or money lenders, will have realised that during the long centuries of the Common Era the Jews were driven for survival towards certain trades, not out of free choice but for the simple fact that they were the only trades permitted them by the Papal Bulls and edicts?

THE DAWN OF EMANCIPATION

The motto of the French Revolution "Liberty, Equality, Fraternity" promised, and in 1791 made actual, for the Jews of France — the first in Europe — the emancipation that they had longed for. Seven years later a breath of liberty reached the Roman Jews as well, but during the unhappy episode of the Roman Republic they underwent once again extortion and looting.

The day of freedom for the Jews of the ghetto had not yet come, even if Pius VI had left Rome as a prisoner and a Roman Jew, Baraffael had been promoted major in the National Guard — the first in so many centuries. Nor did that day come when the five years exile of Pius VII gave new hope to the Jews nor when Napoleon decreed the institution of a "Israelite Consistory". The return of the Pope, Pius VII, in 1814 closed the doors of the ghetto and gave free rein to violence, for the Jews once more came under the hand of the Inquisition and they were thrown back into their miserable prior condition — yet it could and did grow worse under Leo XII until the Jews were beyond themselves and the ghetto despaired. But the ideas of liberty, equality and rights of man which the French Revolution had brought into being, and which Napoleon had spread through Europe until the suffocating Restoration, had become the spiritual leaven of the intellectual bourgoisie and of the new classes created by the Revolution. Further the impulsive romanticism of the "Sturm und Drang" overturning and uprooting the static and conservative ideas of old Europe was now

dal ricco al povero, non venne dettata dalla pietà, ma dal profondo e responsabile senso di solidarietà.

I sodalizi, sia primari che secondari, si interessarono delle più svariate attività, dall'educazione della gioventù all'assistenza dei malati, dei vecchi, delle vedove, degli orfani; dalla sepoltura alle doti per le ragazze povere, dallo studio della Legge a tante altre opere pie che contribuirono a tenere uniti gli ebrei ed a far sentire la forza della tradizione che, attuata dal singolo, si trasfondeva come linfa vitale e vivificante nel ghetto intero.

65

A differenza delle sinagoghe, splendidamente ornate con grandi sacrifici degli ebrei, nella realtà di ogni giorno le straducole tortuose, l'ammasso di tuguri bui e di antri umidi, l'atmosfera tutta erano appestati da un lezzo insopportabile, l'aspetto dell'intero ghetto era tetro e repellente ed il termine « ghetto » è passato come triste eredità nel linguaggio comune ad indicare appunto un luogo sordido ed angusto. Certamente non molti, esprimendo comunemente questo concetto, si saranno soffermati ad esaminare il problema di fondo ed a cercare i veri responsabili di quel sudiciume di cui — in coscienza — non si può accusare gli ebrei, costretti da fattori esterni a vivere in quelle immonde condizioni di vita uno a ridosso dell'altro; nè molti, definendo gli ebrei rigattieri o prestatori di danaro, si saranno resi conto che, durante i lunghi secoli dell'era volgare, troppe volte gli ebrei per sopravvivere furono spinti verso determinati mestieri non per libera scelta, ma per il solo fatto che fossero gli unici ad essi consentiti dalle bolle e dagli editti papali.

BAGLIORI DI EMANCIPAZIONE.

Il motto « Libertà, Uguaglianza, Fratellanza » della Rivoluzione Francese annunciò e nel 1791 portò agli ebrei di Francia — primi in Europa — l'emancipazione tanto agognata. Sette anni dopo, un soffio di libertà sfiorò anche gli ebrei romani che, durante le alterne sfortunate vicende della Repubblica Romana, furono sottoposti però, ancora una volta, ad angherie ed a saccheggi.

Per gli ebrei del ghetto non era ancora giunta l'era della libertà, anche se Pio VI era uscito prigioniero da Roma ed un ebreo romano, Baraffael, era stato nominato — primo in tanti secoli — maggiore della guardia nazionale; né giunse quando l'allontanamento di Pio VII per ben cinque anni riaprì alla speranza il cuore degli ebrei né quando Napoleone decretò l'istituzione di un « Concistoro israelitico ». Il ritorno del pontefice nel 1814 richiuse le porte del ghetto e riaprì

overwhelming it with freedom of the spirit and the new social consciousness of the people. The Italians as well, despite being divided into several states, were driven by the ferment towards the ideals of liberty and independence, driven to yearning for national unity in the full awareness of the new social conscience. The Congress of Vienna however had brought back to Rome the medieval politics of the Popes and the outcasts of the ghetto were once more bound to their unhappy fate.

While Cavour signed the petition of the emancipation of the Jews in Piedmont and D'Azeglio was writing "The Jews are Men!" the voices of Cattaneo, Mazzini ad Tommaseo and of many others were raised in favour of the civil rights of the Jews.

Pius IX who became Pope in 1846 had already given proof of his liberal ideas, abolishing the homage that representatives of the Jewish University had to pay on the Campidoglio on the first day of Carnival, putting an end to the compulsory presence at sermons and promulgating provisions favourable to the Jews. The people persuaded and guided by Ciceruacchio, became reconciled to the Jews of the ghetto. On the night of the 17 of April 1848, on the occasion of the Jewish Easter, after three centuries of segregation, the gates of the ghetto were thrown down by order of Pius IX.

JEWS IN THE STRUGGLE FOR THE LIBERTY OF ROME

50

The Jews regained their liberty but it was an ephemeral liberty and lasted the lifespan of the Roman Republic. When the troops of General Oudinot attacked Rome in order to give it back to the Pope, among those who died in defence of the city were Giacomo Venezian and Ciro Finzi, a fifteen year old boy who had already fought on the barricades during the five days of Milan.

On his return to Rome Pius IX was intolerant towards any kind of liberalism and intransigent towards the Jews. They were again lodged in the ghetto — even if now it had no walls — and made to suffer insult and injury. They were forbidden to hold property or engage in any business with Christians; once again they were forced to pay all tributes and made to live in fear of sequestration and forced baptism.

It was necessary to wait for the taking of Rome before the ghetto was completely abolished. Those twenty years were years of desolate prostration for the Jews of Rome, whereas for the Jews of other parts of Italy they were years of ferment, of plotting and partecipation

quelle della violenza, rimettendo gli ebrei sotto il potere dell'Inquisizione e ricacciandoli in quelle restrittive condizioni di vita che, peggiorando sotto Leone XII, esacerbarono gli ebrei ed avvilirono il ghetto. Ma da una parte le idee di libertà, di uguaglianza e dei diritti dell'uomo portate dalla Rivoluzione Francese, diffuse da Napoleone in Europa e soffocate dalla Restaurazione erano diventate il lievito spirituale della borghesia intellettuale e delle nuove classi sorte con la Rivoluzione e dall'altra l'irrompente romanticismo dello « Sturm und Drang », travolgendo e sradicando le idee conservatrici e stantie della vecchia Europa, la stava ora invadendo col trionfo della libertà dello spirito e della nuova coscienza civile dei popoli.

Anche gli italiani, nonostante fossero divisi in più stati, furono da quel fermento sospinti verso ideali di libertà e di indipendenza, sospinti ad anelare l'unità nazionale nella piena consapevolezza della nuova coscienza sociale. Il Congresso di Vienna però aveva riportato a Roma la politica medioevale dei papi ed i reietti del ghetto erano stati nuovamente legati al loro sventurato destino.

A favore di un vivere civile per tutti gli ebrei si andavano intanto alzando le voci del Cattaneo, del Mazzini, del Tommaseo e di tanti altri ancora, mentre Cavour apponeva la sua firma in calce alla petizione per l'emancipazione degli ebrei in Piemonte e D'Azeglio scriveva « Gli ebrei sono uomini! ».

Pio IX, salito nel 1846 sul soglio pontificio, aveva nel frattempo dato prova delle sue idee liberali, abolendo l'imposizione dell'omaggio in Campidoglio da parte dei rappresentanti dell'Università ebraica nel primo giorno del Carnevale, mettendo fine alla predica coatta ed emanando provvedimenti a favore degli ebrei. Il popolo, esortato e guidato da Ciceruacchio, si era riconciliato con gli ebrei del ghetto. Nella notte del 17 aprile 1848, ricorrenza della Pasqua ebraica, dopo tre secoli di segregazione, i portoni del ghetto vennero abbattuti per ordine di Pio IX.

EBREI NELLA LOTTA PER LA LIBERTA' DI ROMA.

Gli ebrei di Roma riacquistarono la libertà, ma fu per loro una libertà effimera durata quanto la Repubblica Romana. Quando le truppe del generale Oudinot assaltarono Roma per restituirla al papa, fra i caduti per la difesa della città vi furono anche gli ebrei Giacomo Venezian e Ciro Finzi, fanciullo quindicenne, già combattente sulle barricate delle Cinque Giornate di Milano.

50

Rientrato a Roma, Pio IX fu intransigente verso ogni forma di liberalismo ed intransigente verso gli ebrei. Essi vennero nuovamente

either in the political rising or in the regular army in the wars of independence or in the expedition of the Thousand. Among these was Enrico Guastalla, who in 1849 had been proclaimed by Garibaldi "Caporale del Vascello", for his part in the heroic defence of the Roman Republic on the Janiculum and who distinguished himself in all Garibaldi's later enterprises.

51

1870: ROME BECOMES THE CAPITAL- FREEDOM FOR THE JEWS

When Rome was taken through the breech in the wall at Porta Pia, the temporal power of the Popes crumbled and the dreadful life that had gone on in the ghetto for centuries came to an end. On the 13th of October 1870 the Jews obtained equality of rights. Samuele Alatri and Settimo Piperno were nominated city councillors on the Campidoglio and nine Jews became members of the Italian Parliament. With the coming of national unity and the establishing of the national capital in Rome, the Roman Jews, in full possession of civil and political rights, felt themselves fully Italian and as such made their contribution of blood and heroism in the Lybian enterprise and in the first World War.

The segregation of the ghetto that had lasted more than three centuries had become only a bitter memory. Outside the ghetto and free of the yoke, the Jews, who had kept themselves united for two thousand years, extended their productive activity into every field, offering Italy the contribution of their minds and work.

Apart from commerce and industry there were Jews in the universities, the law courts, in the army and in high public office. Now that their historical isolation had come to an end, with their network of Jewish traditions and culture, spontaneously and without difficulty they inserted themselves into the surrounding environment and the latent process of assimilation began.

They were years of peace for the Roman Jews and of change for the old ghetto. Already in 1885 many of the old houses in the ghetto had been demolished and many Jews had gone to live in different parts of the city but many had stayed or moved to adjacent streets, as if they coudn't find the strength and the will to move away from the sites that for centuries had witnessed their suffering.

60, 61, 63

In 1904 on the banks of the Tiber between Ponte Quattro Capi and the Portico d'Ottavia the present Synagogue was inaugurated.

52
54, 55

A symbol of emancipation achieved, in its imposing assyro-babylonian style, with its great grey dome visible from any part of the city and

L'ebreo dentro la botte rotolato dalla plebaglia.
A Jew inside a barrel is rolled by the mob.
(B. Pinelli "1781-1835", Roma 1823).

Veduta del Ghetto di Roma.
View of the Ghetto of Rome.
(L. Rossini "1790-1857", Roma 1817).

tenuti nel ghetto, anche se privo di muro e sottoposti ad angherie e ad affronti. Fu loro proibito di avere proprietà immobiliari e di esercitare qualsiasi commercio con i cristiani, fu loro nuovamente imposto il pagamento di tutti i tributi e furono tenuti costantemente sotto l'incubo di perquisizioni e di battesimi forzati.

Per avere la definitiva abolizione del ghetto fu necessario attendere la presa di Roma. Quei venti anni di attesa furono per gli ebrei di Roma venti anni di avvilimento e di prostrazione, mentre per gli ebrei di altre parti d'Italia furono anni di fermento, di partecipazione a cospirazioni ed a moti politici o di arruolamento negli eserciti regolari per le guerre d'indipendenza o per la spedizione dei Mille. Fra questi vi fu Enrico Guastalla, acclamato già nel 1849 da Garibaldi « Caporale del Vascello » nella eroica difesa della Repubblica Romana sul Gianicolo e distintosi in tutte le successive imprese garibaldine.

51

1870: ROMA CAPITALE LIBERTA' AGLI EBREI

Presa Roma con la breccia di Porta Pia, crollò il potere temporale dei Papi ed ebbe fine la plurisecolare avvilente vita del ghetto. Il 13 ottobre 1870 gli ebrei romani ottennero l'equiparazione dei diritti. Samuele Alatri e Settimio Piperno vennero nominati consiglieri comunali in Campidoglio, nove ebrei entrarono a far parte del Parlamento Italiano. Con l'unità nazionale e Roma capitale d'Italia, gli ebrei di Roma, godendo dei pieni diritti civili e politici, si sentirono pienamente italiani e come tali dettero il loro contributo di eroismo e di sangue nella impresa libica e nella I guerra mondiale.

La segregazione del ghetto, durata per più di tre secoli, era diventata solo un doloroso ricordo. Usciti dal ghetto e liberi dal giogo gli ebrei, mantenutisi uniti per ben duemila anni, cominciarono ad esplicare la loro feconda attività in ogni campo, offrendo all'Italia il contributo della loro mente e del loro lavoro. Oltre che nel commercio e nell'industria, ci furono ebrei negli atenei, nella magistratura, nell'esercito e nelle alte cariche dello stato. Finito quindi l'isolamento storico, essi col loro retaggio di tradizione e di cultura ebraiche, con spontaneità e senza scosse, si inserirono nell'ambiente che li circondava, dando inizio ad un potenziale processo di assimilazione.

Furono anni di serenità per gli ebrei di Roma e di riassetto per il vecchio ghetto. Già nel 1885 molte delle vecchie case del ghetto vennero demolite e molti furono gli ebrei che andarono ad abitare in altri quartieri della città, ma molti anche quelli che restarono o che si spostarono semplicemente nelle strade attigue, a ridosso del

60

61, 63

with its interior decorated copiously in gold, in a manner traditionally that of the Temple of Solomon, il took over from the five small schools that then existed.

THE NAZI-FASCIST PERSECUTION

Jewish history however seems fated to consist in periods of peace that get swallowed more or less quickly by political upheavals. When in 1938 the Fascists launched their antisemitic campaign with the "Manifesto del razzismo italiano" aiming at all the Jews of Italy, the Jews where thunderstruck at such a violation of human liberty and dignity. Basing itself on its pseudo-science of race, fascism held the Jews to be foreigners and treated them severely with its racial laws. Obviously the Roman Jews were just as much subject to these laws though they had been two thousand years without break in the city.

Even though there were defections in this time of inner torment, most of the Jews were profoundly aware of the re-birth of their Jewish consciousness and of the force in times of disaster of the Jewish concept of unity.

The Jews of Rome though they witnessed with the race laws a return to the barbarities of the Middle Ages, losing all civil rights, their equal status, their rights to education and free economic and professional activity nevertheless could not know what a martyrdom they would encounter.

When the Second World War drew Europe into a maelstrom of blood and the homicidal madness of Hitler turned on the Jews, catastrophe came on the Jews of Rome as well.

In the afternoon of the 26th of September 1943 General Kappler made his extortionate demand that fifty kilograms in gold should be consigned to him within thirty six hours. The Roman Jews fallaciously believed that by paying the sum demanded their lives would be saved and they would escape the extermination that the European Jews had suffered. But in fact the plans for combing the city were ready, down to the smallest detail, waiting to be put into execution by the German authorities.

THE DEPORTATION OF THE ROMAN JEWS

The raid of the 16th of October 1943 — a crime without precedent, a product of barbarism and violence — surprised the majority of Roman Jews in their sleep. The Jewish quarter, where the old ghetto had been, was silently surrounded and the inhabitants were sys-

ghetto, quasi non riuscissero a trovare in se stessi la volontà e la forza necessarie per allontanarsi dai luoghi che per secoli avevano partecipato alle loro sofferenze.

Nel 1904, sulle rive del Tevere, fra Ponte Quattro Capi ed il Portico d'Ottavia, venne inaugurato l'attuale Tempio Israelitico. Simbolo della raggiunta emancipazione, imponente nel suo stile assiro-babilonese, con la grande cupola grigia visibile da ogni punto della città e nell'interno con i copiosi elementi decorativi aurei, tradizionalmente simili a quelli del Tempio di Salomone, venne a sostituire le cinque piccole « Scholae » precedentemente esistenti.

52
54, 55

LA PERSECUZIONE NAZI-FASCISTA.

E' fatale però che nella storia ebraica periodi di tranquillità vengano sommersi o distrutti più o meno rapidamente da sconvolgimenti politici. Quando nel 1938 l'offensiva antisemita lanciata dal Fascismo con il « Manifesto del razzismo italiano » investì gli ebrei di Roma insieme a tutti gli ebrei d'Italia, essi restarono attoniti dinanzi ad una siffatta violazione dei principi di dignità e di libertà umana. Basandosi sulla pseudo-scienza della razza, il fascismo considerò stranieri gli ebrei italiani e li colpì duramente con le leggi razziali. Subirono naturalmente le conseguenze di queste leggi anche gli ebrei romani, da duemila anni incessantemente nell'Urbe.

Anche se in questo periodo di tormento interiore si ebbero defezioni, la maggior parte degli ebrei sentì profondamente il risveglio della propria coscienza ebraica e nella sventura la forza prorompente del concetto unitario dell'ebraismo.

Gli ebrei di Roma, che nell'applicazione delle leggi razziali avevano visto un ritorno alla barbarie del Medio Evo, con la perdita dei diritti civili, con la soppressione dell'uguaglianza, con l'esclusione dall'istruzione e con la limitazione delle attività economiche e professionali, non si resero però conto a quale martirio essi stavano andando incontro.

Quando la seconda guerra mondiale travolse in un turbine di sangue l'Europa e la follia omicida di Hitler si scatenò contro il popolo ebraico in tutta la sua furia, la tragedia esplose anche per gli ebrei di Roma.

Nel pomeriggio del 26 settembre 1943 la esosa richiesta da parte del generale Kappler di consegnare entro trentasei ore cinquanta chilogrammi d'oro, portò agli ebrei la fallace illusione che, pagando quella taglia, avrebbero avuta salva la vita e non avrebbero subìto lo

tematically and with hate, searched, terrorised, dragged out of garrets, cellars and sewers. Some few Jews managed to escape by running and hiding among the ruins of the Fori and the Palatine; all the rest were herded into the small square overlooking the ruins of the Teatro di Marcello near the Portico d'Ottavia which in the time of the Empire had witnessed the long lines of Jewish prisoners in the triumph of Titus and later the going and coming of the free Jews who had moved from Trastevere and then the ghetto, its dismantling and now a raid on unarmed Jews who were dragged away from the Jewish quarter.

56

In that rainy Roman dawn, while the people of Rome, shocked, and helpless, in front of the machine guns of the occupying army, watched the drama unfolding, the iron grip of German savagery had hold of more than the ghetto.

The unbelievable violence spread through the city and the man hunt went on in every quarter. There was no question of right, only of the brute force of the SS and the pitiless hunt went on systematically for days.

Eighteen sealed cattle trucks, in tragic convoy, transported two thousand and ninety one Roman Jews of all ages and condition, men, women and children through the Brenner. Captured in the raids on the city and on the ghetto, they went unknowing towards the horrors of the concentration camps, the atrocious tortures, the gas chambers of Birkenau and the ovens of Auschwitz.

Very few came back when the storm of war had died down.

THE JEWISH MARTYRS OF THE FOSSE ARDEATINE

Hardly five months had passed from that fateful 16th of October 1943, five months of the nightmare of nazi-fascist persecution, of fleeing from house to house, of anxiety, of anguish in the enforced immobility of narrow holding places, five sleepless and tormented months waiting for the liberation, when on the 23rd of March 1944 another seventy five Roman Jews were arrested and shot the following day along with two hundred and seventy others — all innocent victims of a nazi reprisal for the bomb that had killed several German policemen while marching in Via Rasella.

57

The monument at Fosse Ardeatine — so near to the Jewish catacombs — seems to hold in the air, under the massive parallelepiped, the nightmare of the massacre, which lives in the grey penumbra

sterminio a cui erano stati sottoposti gli ebrei delle altre parti d'Europa. Ma in effetti era già pronto, nei minimi dettagli, il piano di rastrellamento da parte delle autorità tedesche che presidiavano Roma.

LA DEPORTAZIONE DEGLI EBREI ROMANI

La razzia del 16 ottobre 1943 — delitto senza precedenti, prodotto della barbarie e della violenza — sorprese nel sonno la maggior parte degli ebrci di Roma. Il quartiere ebraico dell'ex ghetto venne circondato in silenzio e tutte le abitazioni vennero spietatamente frugate, messe a soqquadro, devastate, rastrellate dagli abbaini alle cantine ed alle fogne. Pochi furono gli ebrei che riuscirono a mettersi in salvo fuggendo e nascondendosi tra le rovine dei Fori e del Palatino, tutti gli altri vennero ammassati nella piazzetta prospiciente i ruderi del Teatro di Marcello, accanto a quel Portico d'Ottavia, che — testimone all'epoca imperiale della lunga serie dei prigionieri ebrei nel fastoso trionfo di Tito, testimone in seguito della vita degli ebrei liberi giunti lì da Trastevere e successivamente della loro segregazione ed emancipazione — assisteva ora alla razzia degli ebrei inermi che venivano strappati ed allontanati dal quartiere ebraico.

56

In quella piovosa alba di Roma, mentre il popolo romano assisteva esterefatto ed inerme al compiersi del dramma, impotente davanti ai fucili mitragliatori dei dominatori occupanti, il cerchio di ferro della barbarie tedesca non si strinse solo intorno al ghetto.

L'inaudita violenza tedesca dilagò in tutta la città ed in ogni quartiere dell'Urbe l'inesorabile caccia all'uomo, basata non sul diritto ma sulla forza bruta delle SS, continuò per vari giorni sistematica e spietata contro gli ebrei di Roma.

Diciotto carri bestiame piombati, in tragico convoglio, portarono al di là del Brennero i duemilanovantuno ebrei romani — uomini, donne, bambini, di ogni condizione e di ogni età, catturati nelle retate della città e del ghetto — li portarono ignari verso l'orrore dei lager, verso le sevizie più atroci, verso le camere a gas di Birkenau ed i forni di Auschwitz.

Di essi, passata la bufera di guerra, ne tornarono pochi.

MARTIRI EBREI DELLE FOSSE ARDEATINE.

Da quel fatale 16 ottobre 1943 erano appena trascorsi cinque mesi caratterizzati dall'incubo per le persecuzioni nazi-fasciste, dagli spostamenti affannosi di casa in casa, dall'ansia e dall'angoscia nella immobilità forzata degli esigui nascondigli, dalle notti insonni e tormentate nell'attesa della liberazione, quando il 23 marzo 1944 altri

59 over the grey lines of tombstones, lives in the intricate tangle of its
58 bronze gates that have the air of a web of tormented thoughts and martyred shreds of human skin, while the Star of David stands out in the terse sky among the green pines.

At this time the Jews joined the Resistance. Leone Ginsburg, university lecturer in Russian literature; editor of "Italia libera" died in the Roman prison of Regina Coeli because of the ill treatment he had received; Eugenio Colorni was assassinated in Rome in 1944. He was an anti-fascist and promoter of a European federalist movement. He had been active in the Resistance in Rome and won a gold medal. Enzo Sereni, an allied parachutist was born in Rome. He was captured in the north of Italy while trying to make contact with the partisans. He died in the ovens at Dachau.

A Roman Jew, he had felt from his childhood the strong call of the Land of Israel and overcoming difficulties of all kinds by his courage and intelligence, he founded the Kibbuz Ghivat Brenner. He travelled all the countries of Europe — almost an omen of the catastrophe — giving his enthusiasm and the best of himself to the Zionist cause, until at the beginning of 1940 — even though he was a pacifist — he joined the British Army in the hope of saving the Italian Jews.

LIFE BEGINS AGAIN

When the storm of the most inhuman war ever known died down and the wind of hate stopped raging, veering round upon itself in the silence of the great transalpine trench, the Roman Jews, weakened by the deportations woke from the nightmare that had trapped them for years and looked for a way to recovery and normality.

They had learned that their unbroken stay of two thousand years in Rome had been of no avail, even in our own day, to save them from racial discrimination. It had not saved them the loss of their civil and political rights nor did it save them the loss of their lives. In the knowledge of their long history they knew that living as Jews constituted the base of their enduring among the nations, and that in the face of the most protracted oppression and the bloodiest persecution, they always felt the certainty of outliving their persecutors.

The Roman Jews gathered again, those who had fled from nazi-fascist hate and those, very few, who had had travelled the hard road of survival. Among them for a time were many of the refugees who fled in thousands from the centres occupied by the

settantacinque ebrei romani vennero prelevati ed il giorno dopo fucilati insieme a duecentosessanta romani, tutti vittime innocenti della rappresaglia nazista per le bombe che in Via Rasella avevano seminato la morte in una colonna tedesca di polizia.

Il monumento delle Fosse Ardeatine — così vicino alle catacombe ebraiche — sotto il massiccio parallelepipedo sembra tener sospeso nell'aria l'incubo del massacro, vivo nella penombra grigia sulle grige allineate tombe dei martiri, vivo nel fittissimo intrico del bronzo dei suoi cancelli, simili a ridda di tormentati pensieri e martoriati lembi di pelle umana, mentre la stella di David si staglia nell'aria tersa, fra il verde dei pini.

57

59

58

In questo stesso periodo gli ebrei entrarono a far parte della Resistenza. A Roma, nel carcere di Regina Coeli, morì per i maltrattamenti subiti Leone Ginzburg, insegnante universitario di letteratura russa, redattore di Italia Libera; a Roma venne assassinato Eugenio Colorni, antifascista, fautore di un movimento federalista europeo, attivo nella resistenza della capitale e medaglia d'oro; a Roma era nato Enzo Sereni, paracadutista alleato, che, catturato nell'Italia settentrionale nel tentativo di stabilire contatti con i partigiani, trovò la morte nei forni crematori di Dachau.

Questo ebreo romano, che aveva sentito fin dalla giovinezza prepotente e profondo dentro di sé il nostalgico richiamo della Terra di Israele, che affrontando difficoltà di ogni genere con intelligenza e coraggio aveva fondato in Palestina il Kibbutz Ghivat Brenner, che percorrendo i vari paesi d'Europa, quasi presago della catastrofe, aveva dedicato con entusiasmo le sue migliori energie alla causa sionista, all'inizio del 1940 — pur se pacifista di sentimenti — si era arruolato nell'esercito britannico con la speranza di poter salvare gli ebrei d'Italia.

LA VITA RIPRENDE.

Quando si chetò la bufera della più inumana guerra che mai abbia sconvolto il mondo e l'uragano dell'odio finì d'imperversare, ripiegando nel silenzio della grande fossa d'oltrealpe, la comunità ebraica di Roma, dissanguata dalla deportazioni, uscì dall'incubo che l'aveva attanagliata per anni, cercando la via della ripresa e della normalità. Gli ebrei avevano imparato che la ininterrotta permanenza per duemila anni a Roma non era servita — neppure ai nostri giorni — a sottrarli al marchio della discriminazione razziale, non li aveva salvati dalla perdita dei diritti civili e politici né li aveva sottratti alla

Nazis, crossing the penisula to ports from which they could be smuggled out to Palestine.

When the Jewish problem again grew acute in the Arab countries some of the exiles from these countries came to form part of Roman Jewry.

Life got going again: the oratories were re-organised; the educational and cultural networks were enlarged; the Jewish press helped reinforce the consciousness in every Jew of his own Jewishness; the welfare services multiplied their medical and social activities. Jews went back to their university posts, to Parliament and again engaged in every public and private activity.

37, 39
40, 41

A Jewish Museum collected Scrolls of the Law, manuscripts, sacred furnishings, ancient books, Papal Bulls and edicts and documents referring to the Nazi savagery.

68, 69

A simple but significant monument was set up in the F.A.O., — the Food and Agriculture Organisation of the United Nations — the library and study of David Lubin, a precursor of the organisation, "a pioneer in international collaboration for peace and justice in the world." Lubin was a Jew of Polish stock who in 1905 had made concrete his great dream of social justice and human universality, by creating in Rome the Istituto Internazionale dell'Agricoltura to fight hunger in the world.

Life got going again but the storm had left deep traces in the minds of the Jews, marks that reinforced their sense of solidarity and after the re-birth of Israel made firmer those invisible links that had never been broken in the mind of every Jew. Rome and Jerusalem: two cities which are symbols in the history of the world but particularly in the history of the Jews.

THE ARCH OF TITUS AND THE REBORN STATE OF ISRAEL
4, 5

As an emblem of the re-born state and a symbol of the political independence regained in the four thousand year history of the Jewish people, the Jews of Israel chose the Seven-branch Candlestick, the one that is represented on the Arch of Titus erected for the victory of Rome over Jerusalem. It had been ever present in the lives and on the tombs of the Roman Jews during the two thousand years of their diaspora.

Rome destroyed Jerusalem, but since it became the bridge for Judaism to pass towards the West, for two thousand years it has been and remains a home for the Jews.

morte. Essi, edotti dalla loro lunga storia, sapevano che il vivere da ebrei costituiva la base della loro conservazione fra i popoli e che, di fronte alle più prolungate oppressioni ed alle più cruente persecuzioni, gli ebrei avevano sempre sentito la certezza di sopravvivere ai loro persecutori.

Si ritrovarono gli ebrei romani: quelli che erano sfuggiti all'odio nazi-fascista e quelli — pochissimi — che erano riusciti a percorrere fino in fondo la dura strada per sopravvivere e fra loro si fermarono anche molti di quei profughi, che a migliaia, provenienti dai luoghi di occupazione nazista, avevano attraversato la penisola per raggiungere i vari porti clandestini ed imbarcarsi per la Palestina.

Agli ebrei romani vennero successivamente ad aggiungersi, in seguito al riacutizzarsi del problema ebraico negli stati arabi, parte degli esuli di quei paesi.

La vita riprese: vennero riorganizzati gli oratori, ampliate le reti educativa e culturale, la stampa ebraica contribuì a rafforzare in ogni ebreo la consapevolezza del proprio ebraismo, le attività assistenziali si prodigarono nei servizi sanitari e sociali.

Ebrei tornarono sulle cattedre universitarie, tornarono al parlamento ed in ogni attività pubblica e privata.

Un museo ebraico raccolse entro le sue mura Rotoli della Legge, manoscritti, arredi sacri, antichi libri, bolle, editti papali e documenti della ferocia nazista.

37, 39
40, 41

Un semplice ma significativo monumento sorse nella FAO — l'Organizzazione per l'Alimentazione e l'Agricoltura delle Nazioni Unite — con la biblioteca e lo studio di David Lubin (1848-1919), precursore di questa organizzazione, « pioniere della collaborazione internazionale per la pace e la giustizia nel mondo », ebreo di origine polacca che nel lontano 1905, proprio a Roma, aveva concretizzato con l'Istituto Internazionale dell'Agricoltura il suo grande sogno di giustizia sociale e di universalità umana, battendosi contro la fame nel mondo.

68, 69

La vita riprese, ma la bufera aveva lasciato profondi solchi negli animi degli ebrei, solchi che rafforzarono in loro il sentimento della solidarietà e che, dopo la rinascita di Israele, approfondirono quei vincoli ideali che non si erano mai spezzati nell'animo di ogni ebreo.

Roma e Gerusalemme: due città assurte a simbolo nella storia dei popoli, particolarmente in quella del popolo ebraico.

THE PRESENT JEWISH QUARTER

Even if today the Roman Jews live in every quarter of the city, according to taste and the exigencies of their jobs, it is interesting to go back to the ghetto in search of memories. The past rushes on us wherever we turn our gaze.

Hundreds of hovels were brought down to make room for the sun and the light that three centuries of Jews yearned to see during their segregation, but the ghetto has not lost the mark of a quarter populated by sad memories and still lived in by Jews. They are the descendents of those Jews who in Republican and Imperial Rome lived in Trastevere and beside Ponte Quattro Capi, who in the Rome of the Popes were shut up for more than three centuries in the infamous ghetto and who in this century have suffered the painful experiences of two wars, the last of which led to the genocide of the Jewish people.

When we cross the populous quarter, with its busy life of work, we go along Via Reginella, Via della Tribuna di Campitelli — the same small streets that once saw the Jews emaciated with poverty, bent over their dusty piles of rags; we contine along the ancient Piazza Giudea which saw the main gate of the Ghetto close unfailingly at sunset; in that part of Piazza Cenci, which in those days was just outside the Ghetto, we see the beautiful renaissance fountain of Giacomo della Porta, while the Fontana delle Tartarughe next to Palazzo Mattei, whose family was charged with guarding the eight gates of the Ghetto, is surrounded today by Jewish shops, and reflects the faces of the children who play gaily with the water in the four marble basins crowned by ephebes.

63, 61

67

66

At the beginning of the wide Via del Portico d'Ottavia an ancient inscription in large Latin letters on the facade of the house of Lorenzo Manilio states that the owner had had his own house built "ad Forum Judaeorum" in 1497, before, therefore, the setting up of the ghetto. Further on, the cornices of tiburtine stone, lapidary stones and the effigies of sarcophagi on houses of the early Renaissance still dare the effort of time, while a modest simple invitation in Hebrew to give for the orphans preserves and enforces the sense of human solidarity which together with the numerous confraternities gave the Jews the strength to survive the ghetto. Still further on walls whose coating has been eaten away by time advertisements announce the Jewish gastronomic specialities that have been handed

64

45

65

62

Come emblema del risorto stato, simbolo della loro indipendenza politica raggiunta nella storia quadrimillenaria del popolo ebraico, gli ebrei di Israele prescelsero il candelabro a sette braccia, quello che, scolpito nell'arco di Tito per il trionfo di Roma su Gerusalemme, era stato sempre presente nella vita e sulle tombe degli ebrei di Roma durante la storia bimillenaria della loro diaspora.

L'ARCO DI TITO ED IL RISORTO STATO DI ISRAELE.

4, 5

Roma distrusse Gerusalemme, ma proprio Roma, diventando il ponte dell'ebraismo verso l'occidente, da duemila anni è ancora dimora di ebrei.

Anche se oggi la maggior parte di essi risiede indistintamente, secondo le particolari esigenze di lavoro e di gusto, in ogni quartiere della città, è sempre interessante tornare nel vecchio ghetto alla ricerca di antiche memorie. Il passato ci viene prepotentemente incontro ovunque venga rivolto lo sguardo.

L'ODIERNO QUARTIERE EBRAICO.

Centinaia di casupole sordide e misere sono cadute sotto i colpi del piccone per far finalmente spazio al sole ed alla luce invano agognati durante i tre lunghissimi secoli della segregazione, ma il ghetto non ha perduto la sua caratteristica di rione popolato da dolorosi ricordi e popolato ancor sempre da ebrei. Sono i discendenti di quegli ebrei che nella Roma repubblicana ed imperiale vissero per lo più in Trastevere ed accanto al Ponte Quattro Capi, che nella Roma papale per oltre tre secoli furono rinchiusi nell'infamante recinto del ghetto e che, durante questo nostro secolo, hanno vissuto le dolorose vicende di due guerre, l'ultima delle quali portò al tragico genocidio del popolo ebraico.

Attraversando il popoloso quartiere, pregno di vita operosa, passiamo per Via della Reginella, per Via della Tribuna di Campitelli, le stesse stradette che allora videro gli ebrei emaciati dall'indigenza, chini al lavoro sui loro polverosi cumuli di stracci; passiamo per l'antica Piazza Giudea che vide il portone principale del ghetto chiudersi inesorabilmente ad ogni tramonto; vediamo in Piazza Cenci la bella fontana rinascimentale di Giacomo Della Porta, che nella parte esterna della Piazza Giudea era allora alle soglie del ghetto, mentre la Fontana delle Tartarughe, accanto al Palazzo Mattei, custode del diritto di vigilanza delle otto porte del ghetto, è attorniato oggi da negozi di ebrei e fa da specchio a visetti di bimbi che allegramente giocano con l'acqua delle sue quattro marmoree conchiglie sormontate da efébi.

63, 61

67

66

All'inizio dell'ampia Via del Portico d'Ottavia una vetusta iscrizione

42, 43 down the generations. At the bottom of the street are the ruins of the Portico d'Ottavia, built twelve years after the first Jews came to Rome as ambassadors, a witness of the evolving life of the Jews in the city and still today conversations in the Jewish-Romanesque dialect take place in the shadow of its marble gateway.

52 Ponte Fabricio — called Bridge of the Jews in the Middle Ages and
53 later Ponte Quattro Capi because of the busts of four faced Janus
70, 71 on the bridgeheads — connects the ghetto with the Isola Tiberina, which looks like a trireme stranded in the middle of the river with its prow against the stream, and holds the Jewish Hospital and the Home for Old Jews in one wing of the Convent of St. Bartholomeus, which was built over the famous Temple of Aesculapius, the god of medicine.

THE JEWS IN ROME: TWO THOUSAND YEARS OF HISTORY

The streets, the houses, the squares, the life of the Jewish community in Rome, the oldest in the Western world — so special in comparison with the other Jewish communities because of its unbroken two thousand years of history.

In the Roseto of Rome that lies on the graves of the ancient Jewish
49 cemetery on the Aventine, a stele, with the Tables of the Law on it, marks the place where the Jews of Rome for about two hundred and fifty years had their last resting place. But at the same time, those Tables, which are the basis of any moral law, are a reminder of the contribution that the Jewish people have given to the whole of human-
72 nity, while the Synagogue whose dome stands out between the Campidoglio — Republican and Imperial Rome — and the monument to Vittorio Emanuele — Rome of the Risorgimento, the Rome of a modern and united Italy — remains a centre of Jewish thought, culture and life in the spirit of the eternal and immutable laws of Sinai.

This translation is dedicated
to my Jewish friends.

Desmond O'Grady

latina, a grandi caratteri sulla facciata della casa di Lorenzo Manilio, ricorda che il proprietario ha costruito nel 1497 — prima quindi dell'istituzione del Ghetto — la propria casa « ad forum Judaeorum »; più avanti, sempre su case del primo Rinascimento, cornici di pietra tiburtina, lapidi sepolcrali ed effigi di sarcofaghi stanno ancora a sfidare il logorio del tempo mentre un modesto, semplice invito in ebraico per un'offerta agli orfani conserva e conferma il senso della solidarietà umana, che con le plurime confraternite dette agli ebrei la forza di sopravvivere al Ghetto; ancora più avanti, sui muri dagli intonaci corrosi dal tempo, le iscrizioni pubblicitarie reclamizzano le stesse specialità culinarie ebraiche che sono state tramandate nei secoli di generazione in generazione; in fondo alla via infine i resti del Portico d'Ottavia, costruito dodici anni dopo che i primi ebrei dalla Palestina giunsero a Roma come ambasciatori, testimone nel corso dei secoli dell'evolversi della storia ebraica nella città, sente ancora oggi discutere gli ebrei nella loro caratteristica parlata giudaico-romanesca, all'ombra del suo marmoreo propileo d'ingresso.

64 45 65 62 42, 43

Il Ponte Fabricio — nel Medio Evo Ponte degli Ebrei ed in seguito Ponte Quattro Capi per le erme di Giano quadrifronte situate alle sue testate — congiunge il quartiere del ghetto all'Isola Tiberina che, simile a trireme arenata al centro del fiume con la prua rivolta contro corrente, ospita l'Ospedale Israelitico ed il Ricovero dei vecchi ebrei nell'ala del Convento di S. Bartolomeo, costruito sul celebre Tempio sacro ad Esculapio, dio della medicina.

52 53 70, 71

GLI EBREI A ROMA: DUEMILA ANNI DI STORIA.

Case, strade, piazze, vita della comunità ebraica di Roma, la più antica del mondo occidentale, così particolare nei confronti delle altre comunità ebraiche per la continuità della sua storia bimillenaria. Nel roseto di Roma, sorto sugli avelli dell'antico cimitero ebraico dell'Aventino, una stele con le Tavole della Legge ricorda il luogo dove per circa duecentocinquanta anni gli ebrei romani ebbero l'estrema dimora. In pari tempo però quelle Tavole — fondamento di ogni legge morale — ricordano il contributo che il popolo ebraico ha dato all'umanità intera mentre la Sinagoga, la cui cupola si staglia fra il Campidoglio — la Roma repubblicana ed imperiale — ed il Vittoriano — la Roma dell'Italia risorgimentale unita e moderna — resta centro di pensiero, di cultura, di vita ebraica nello spirito delle leggi eterne ed immutabili del Sinai.

49 72

PIAZZA·MONTANARA
TORRE·DE·SPECCH
SANGELLO
LA·PESCARIA
PIAZZA
GIUDEA
GHETTO

S·MARIA·IN
PORT
S·GREGORIO
QATTRO·CAPI
AL·FONTE
S·GIO·COLAB

Il Ghetto nella iconografia della Città di Roma, xilografia del XVI sec., pubblicata per la prima volta da Carlo Losi nell'anno 1774.
The Ghetto in the iconography of the city of Rome woodcut, XVI century, published for the first time in the year 1774.

1 | Via Appia Antica, legame di Roma con l'Oriente.
The Old Appian Way, Rome's link with the East.

2 | Via Appia Antica, con lapidi e catacombe ebraiche.
The Old Appian Way, with Jewish tombs and catacombs.

3 | Lapide funeraria di tre ebrei affrancati da Lucio Valerio.
Marble lapidary of three Jews enfranchised by Lucius Valerius.

4-5 Il bassorilievo del candelabro ebraico nell'Arco di Tito.
The bas-relief of the Seven-Branch Candlestick in the Arch of Titus.

6 | Moneta romana "Judaea Capta".
Roman coin "Judaea Capta".

7 | Arco di Tito. Trionfo di Roma su Gerusalemme.
Arch of Titus. Rome's triumph over Jerusalem.

8 Il bassorilievo della quadriga nell'Arco di Tito.
The bas-relief of the chariot in the Arch of Titus.

9 | L'iscrizione dedicatoria dell'Arco di Tito.
The Arch of Titus and its dedication.

10 | Colonna del Tempio della Pace.
A column of the Temple of Peace.

11 Il Carcere Mamertino, dove avevano luogo le esecuzioni capitali dei prigionieri di stato.
The Mamertine Prison where Rome's prisoners of state were put to death.

QVI PERIRONO VITTIME
DEI TRIONFI DI ROMA

PONZIO RE DEI SANNITI
GIÀ VINCITORE ALLE FORCHE CAVDINE
DECAPITATO AN.290 A.C.

QVINTO PLEMINIO GIÀ GOVERNATORE DI LOCRI
SVPPLIZIATO AN.180 A.C.

I SEGVACI DEI GRACCHI VINDICI DELLA PLEBE
STRANGOLATI AN.123 A.C.

GIVGVRTA RE DI NVMIDIA
MORTO PER FAME AN.104 A.C.

ARISTOBVLO II RE DEI GIVDEI
DECAPITATO AN. 61 A.C.

LENTVLO E CETEGO SENATORI ROMANI
E ALTRI COMPLICI DI CATILINA
STRANGOLATI AN. 60 A.C.

VERCINGETORIGE RE DELLA GALLIA
DECAPITATO AN. 49 A.C.

SEIANO MINISTRO DI TIBERIO
DECAPITATO AN. 31 D.C.

SIMONE DI GIORA DIFENSORE DI GERVSALEMME
CONTRO TITO E VESPASIANO
DECAPITATO AN. 70 D.C.

E MOLTI ALTRI OSCVRI O MENO ILLVSTRI
CADVTI TRA I GORGHI
DEGLI ODII E DEGLI EVENTI VMANI

12 Aristobolo II, re dei Giudei e Simone di Giora, difensore di Gerusalemme, vittime dei trionfi di Roma.
Aristobulus II, King of Judaea and Simon bar Giora, the defender of Jerusalem, victims of Rome's triumphs.

13 L'interno del Carcere Mamertino.
The interior of the Mamertine Prison.

14 | Ostia Antica, sede di una comunità ebraica.
Ostia Antica, site of a Jewish community.

15 | Simboli ebraici in Ostia Antica.
Jewish symbols in Ostia Antica.

16 | La Sinagoga di Ostia e l'antica via Severiana.
The Synagogue of Ostia and the via Severiana.

17 | Lapide marmorea "Judeorum".
Marble lapidary "Judeorum".

18 L'edicola della legge nella Sinagoga di Ostia Antica.
The Shrine of the Law in the Synagogue of Ostia Antica.

19 | L'architrave dell'edicola.
Tha architrave of the Shrine of the Law.

20-21 | Veduta generale della Sinagoga di Ostia.
General view of the Synagogue of Ostia.

22 | Catacombe ebraiche di Via Nomentana.
Jewish catacombs in Via Nomentana.

23 | Camera sepolcrale nelle catacombe ebraiche della Via Appia.
Burial chamber in the Jewish catacombs of Via Appia.

24 | L'Arca della Legge tra due candelabri ebraici in un affresco della Catacomba ebraica di Via Nomentana
The Ark of the Law flanked by two seven-branched candlesticks in a fresco of the Jewish catacombs in Via Nomentana

25 L'Arca della legge tra due candelabri ebraici nella lapide sepolcrale del bambino Samuele.
The Ark of the Law flanked by the seven-branched candlesticks on the marble plaque of the child Samuel.

26 | Sarcofago ebraico.
Jewish sarciphagus.

27 | Sarcofago ebraico delle “Quattro stagioni”.
Jewish sarcophagus of the “Four Seasons”.

28-29 | Coperchio del sarcofago di Faustina, attrice ebrea.
The lid of the sarcophagus of Faustina, a Jewish actress.

30 | Lapide di Sigismundu, ebreo germanico.
Marble lapidary of Sigismundu, a German Jew.

31 | Lapide di Tubias Barzaharona e di suo figlio.
Marble lapidary of Tubias Berzaharona and of his son.

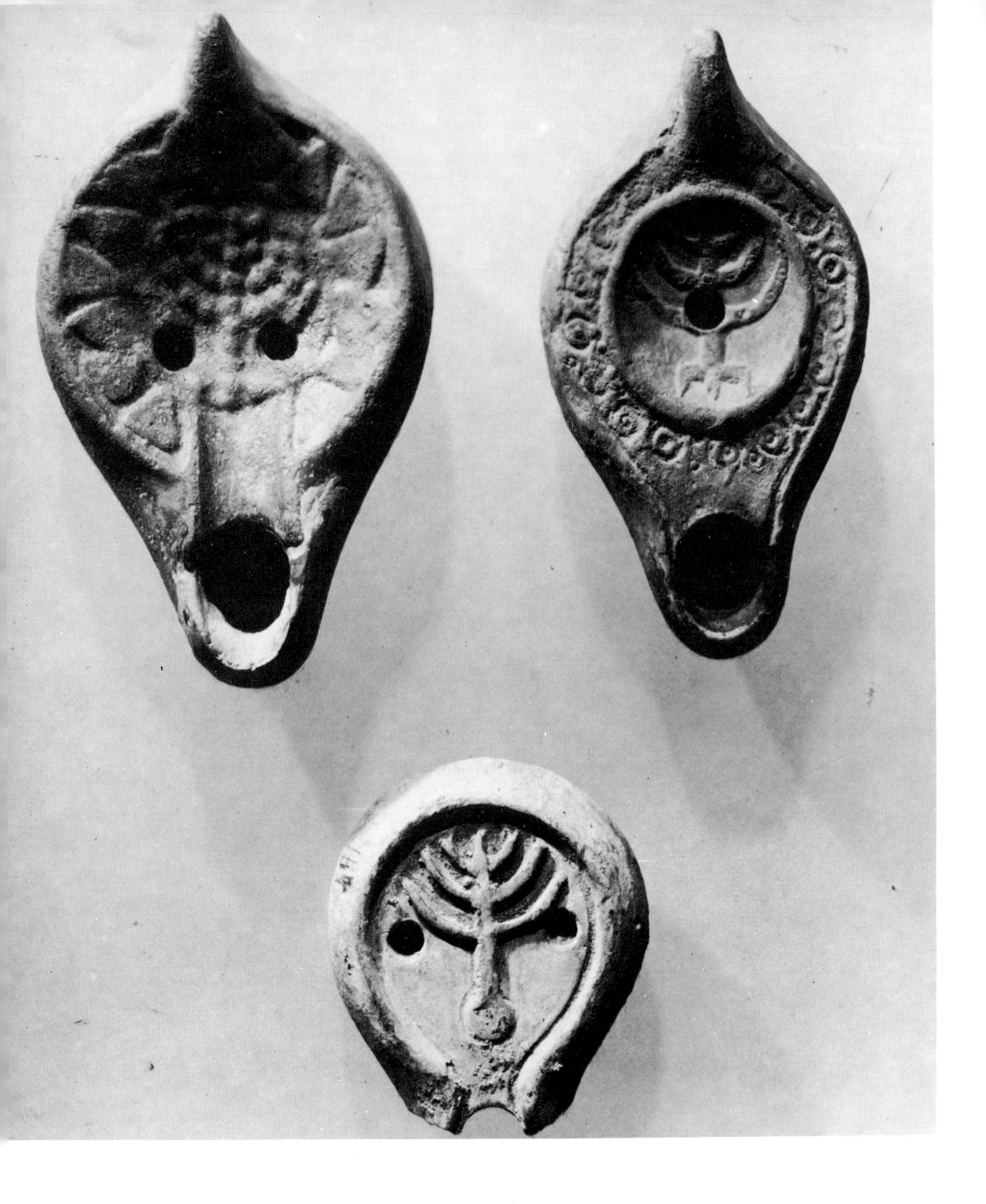

32 | Lucerne ebraiche.
Jewish lamps.

33 | Vetro dorato con simboli ebraici.
Gold-glass with jewish symbols.

34 Sinagoga medievale in Trastevere.
Medieval Synagogue in Trastevere.

35 Colonna centrale della Sinagoga con tracce di antica iscrizione ebraica.
Central column of the Synagogue still bearing traces of a Hebrew inscription.

שמואל

כי חרה לו: עלה עשן באפו ואש מפיו תאכל גחלים בערו ממנו: ויט
שמים וירד וערפל תחת רגליו: וירכב על כרוב ויעף וירא על
כנפי רוח: וישת חשך סביבתיו סכות
חשרת מים עבי שחקים: מנגה נגדו בערו גחלי אש: ירעם מן
שמים יהוה ועליון יתן קולו: וישלח
חצים ויפיצם ברק ויהמם: ויראו אפקי ים יגלו מסדות
תבל בגערת יהוה מנשמת רוח אפו:
ישלח ממרום יקחני ימשני ממים רבים: יצילני מאיבי עז
משנאי כי אמצו ממני: יקדמני ביום
אידי ויהי יהוה משען לי: ויצא למרחב אתי יחלצני כי חפץ
בי: יגמלני יהוה כצדקתי כבר
ידי ישיב לי: כי שמרתי דרכי יהוה ולא רשעתי מאלהי:
כי כל משפטו לנגדי וחקתיו לא אסור
ממנה: ואהיה תמים לו ואשתמרה מעוני: וישב יהוה לי כצדקתי
כברי לנגד עיניו: עם חסיד תתחסד
עם גבור תמים תתמם: עם נבר תתבר ועם עקש תתפל: ואת
עם עני תושיע ועיניך על רמים
תשפיל: כי אתה נירי יהוה ויהוה יגיה חשכי: כי בכה
ארוץ גדוד באלהי אדלג שור:
האל תמים דרכו אמרת יהוה צרופה מגן הוא לכל החסים
בו: כי מי אל מבלעדי יהוה
ומי צור מבלעדי אלהינו: האל מעוזי חיל ויתר תמים
דרכו: משוה רגליו כאילות ועל
במתי יעמדני: מלמד ידי למלחמה ונחת קשת נחושה
זרעתי: ותתן לי מגן ישעך וענתך

36 | Codice ebraico pergamenaceo del XIV secolo con decorazioni massoretiche.
Hebrew parchment codex with massoretic decoration of the XIV century.

בסימנא טבא ובמזלא מעליא להתנא ולכלתא ד"א

37 | Ketubàh, contratto di matrimonio del 1783.
Ketubàh, a marriage contract of 1783.

38 | Berachot, benedizioni di Purim, manoscritto pergamenaceo del XVII sec.
Berachot, blessing for Purim, parchment manuscript of the XVII century.

39 | Rilegatura di libro ebraico, in argento, del 1780.
Binding of a Jewish book, in silver, of 1780.

40 | Ataràh, corona della Toràh.
Ataràh ,crown of the Toràh.

41 | Rimon, terminale della Toràh.
Rimon,headpiece of the Toràh.

42-43 | Portico d'Ottavia, testimone da Tito ai nostri giorni, della bimillenaria storia degli ebrei di Roma.
Portico of Octavia, witness of the 2000 years history of the Jews of Rome.

44 | Iscrizione ebraica sulla facciata della Chiesa di S. Gregorio.
Hebrew inscription on the façade of the Church of St. Gregory.

45 | Antiche sculture nel quartiere ebraico.
Ancient sculptures on a house-front in the Ghetto.

46 | Lapide marmorea di Sciabtai Hachim.
Marble lapidary «Shabtai Hakim».

47 | Parte della fontana eretta nell'antico Ghetto.
Part of the fountain erected in the old Ghetto.

48 | Capitello romano con iscrizione ebraica.
Roman capital with Hebrew inscription.

49 | La stele commemorativa del cimitero ebraico dell'Aventino.
The memorial stele marking the site of the Jewish cemetery on the Aventino.

50 | Giacomo Venezian, caduto per la libertà di Roma.
Giacomo Venezian who fell in the fight for the freedom of Rome.

51 | Enrico Guastalla, combattente garibaldino.
Enrico Guastalla, one of Garibaldi's soldiers.

52 Il Tempio israelitico e l'Isola Tiberina.
The Synagogue and the Tiber Island.

53 | Il Tempio israelitico e l'erma di Giano.
The Synagogue and heads of four-faced Janus.

דע לפני מי אתה עומד

54-55 L'interno e la facciata della Sinagoga.
The interior and the façade of the Synagogue.

56 | La Sinagoga e la piazzetta della deportazione.
The Synagogue and the square where the Roman Jews were herded before deportation.

57 Mausoleo delle Fosse Ardeatine.
Mausoleum of the Fosse Ardeatine.

58 | Particolare della cancellata d'accesso al Mausoleo.
A detail of the Mausoleum's entrance gate.

59 | Tombe delle vittime dell'eccidio delle Fosse Ardeatine.
Tombs of the victims massacred in the Fosse Ardeatine.

60 | Via del Portico d'Ottavia, la strada principale del quartiere ebraico.
Via del Portico d'Ottavia, the main street of the Jewish quarter.

61 | Via della Tribuna di Campitelli in «Contrada Judaeorum».
Via della Tribuna di Campitelli in «Contrada Judaeorum», the medieval Jewish quarter.

62 | Negozi di specialità ebraiche.
Shops selling Jewish specialities.

63 | Via della Reginella, oggi come ieri.
Via della Reginella, today as yesterday.

64 | La casa di Manilio «ad forum Judaeorum».
The house of Manilio «ad forum Judaeorum».

65 Lapide di confraternita ebraica e bassorilievo romano.
Lapidary stone of a Jewish fraternity and a Roman bas-relief.

66 | Fontana di Piazza Mattei.
The fountain of the tortoises in Piazza Mattei.

67 | Fontana di Piazza Cenci.
The fountain of Piazza Cenci.

68 | Il Viale dedicato a David Lubin nella Villa Borghese.
Viale dedicated in memory of David Lubin in the Villa Borghese.

69 | Lo studio di David Lubin nella F.A.O.
The study of David Lubin in the F.A.O. Building.

70-71 | L'Isola Tiberina con l'Ospedale Ebraico ed il Ricovero dei vecchi Ebrei.
The Tiber Island and the Jewish Hospital and old Peoples' Home.

72 La Sinagoga sull'orizzonte di Roma fra la Torre del Campidoglio e il Vittoriano, monumenti di Roma antica e dell'Italia moderna.
The Synagogue on the Roman Skyline between the Tower of the Capitol and the Vittoriano, monuments of ancient Rome and modern Italy.

DIDASCALIE

NOTES ON THE PLATES

1 - THE OLD APPIAN WAY. Rome's link with the East.
Paved with huge blocks of basaltic lava, it was the longest and oldest of the three hundred and seventy two Roman roads. Along this road, in the second century B.C.E. went the the first Jews, ambassadors to Rome in the years 151 and in 139, Pompey's Jewish prisoners, and then those of Titus. But before all these, it was travelled by free Jewish merchants who came to the City from Alexandria and the Greek islands, landing at the ports of Pozzuoli and Brindisi. This road, called « Regina Viarum » was begun in 312 B.C.E. by the censor Appius Claudius Ciecus, to join the south of Italy to Rome and so to have an opening towards Africa and the East. It starts at Porta Capena in the Servian Wall and the first part of it originally had the name of « Semite Way ». Along the Appian Way there were Jewish settlements.

2 - THE OLD APPIAN WAY. Jewish tombs.
Among the traces of monumental tombs, temples, columbaria and fragments of Roman statues, which still make the Appian Way interesting and atmospheric, there are also Jewish grave-stones. By this road, as by Via Portuense, Via Nomentana, Via Labicana, near the places the Jews lived, Jewish catacombs have been found.

3 - MARBLE LAPIDARY, « Baricha, Zabda, Achiba ».
Inscription on the tomb of three Jews enfranchised by Lucius Valerius. First century. On the Appian Way.

4-5 - ARCH OF TITUS. Bas-relief of the Seven-Branch Candlestick.
The only complete surviving representation of the candlestick from the Temple of Jerusalem, chosen by the parliament of Israel as the national emblem of the State. The procession approaching the triumphal arch is made up of Roman warriors wearing short tunics with the booty from the war in Judea. The Temple ornaments are arranged on litters: the golden table with two chalices, the trumpets used by the Levites, and finally the Seven-branch Candlestick, from which, during the Middle Ages the arch got its name of « Arcus septem lucernarum ». Beside the Candlestick proceed the toga-ed magistrates carrying branches of laurel; in the background are the tables on which were written the names of battles won and cities conquered.

6 - ROMAN COIN « Judaea Capta ».
A sesterce coined by Vespasian in 71 to commemorate the victory of Titus over Judea. It shows a Roman legionary and a Jewess who is weeping under a palm-tree. The inscription reads « Judea has been conquered ». Private collection.

7 - ARCH OF TITUS. Rome's triumph over Jerusalem.
Il commemorates the victories of Vespasian and Titus over the Jews of Palestine and the destruction of Jerusalem in 70. It was built in 81, after the death of Titus at the highest point of the Velia, at the end of the Via Sacra, along which Vespasian and Titus had passed on the way to the Capitoline during their historic triumphal procession with their war booty and the seven hundred prisoners brought from Judea. In the form of a single pure barrel-vault, it was the first piece of Roman architecture using mixed orders — one of the simplest but one of the most important. It was built in marble. Travertine stone was used by Valadier in the restoration of missing pieces in 1821.

8 - ARCH OF TITUS. Bas-relief of the chariot.
The chariot of the victorious Titus, led along by the same figure of the goddess of Rome who holds the horses

1 - VIA APPIA ANTICA, legame di Roma con l'Oriente.
Lastricata con massicci poligoni di lava basaltica, fu la più lunga e la più antica delle trecentosettantadue vie romane. Per raggiungere Roma nel II sec. prima dell'Era volgare, su questa via transitarono i primi ebrei, ambasciatori di Giuda Maccabeo, successivamente gli ebrei delle ambascerie del 151 e del 139 prima dell'E.V., gli ebrei prigionieri di Pompeo e quelli di Tito. Ma prima di tutti questi, vi transitarono i liberi mercanti ebrei, che giunsero nell'Urbe provenienti da Alessandria d'Egitto e dalle isole greche, sbarcando nei porti di Pozzuoli e di Brindisi. Questa via infatti, chiamata « Regina Viarum » ed iniziata nel 312 prima dell'E.V. dal censore Appio Claudio Cieco, fu costruita per congiungere Roma all'Italia meridionale e così aprire sbocchi verso l'Africa e verso l'Oriente. Ha inizio da Porta Capena nelle Mura Serviane e la prima parte di essa, all'origine, prendeva il nome di Via Semita. Lungo la Via Appia vi furono stanziamenti ebraici.

2 - VIA APPIA ANTICA. Sepolcri ebraici.
Fra le vestigia dei monumenti sepolcrali, dei templi, dei colombari e dei frammenti di statue romane, che ancor oggi rendono interessante e suggestiva la Via Appia, vi sono anche lapidi sepolcrali di ebrei. In prossimità di questa via, così come della Portuense, della Nomentana e della Labicana, accanto ai quartieri abitati dagli ebrei, sono state rinvenute catacombe ebraiche.

3 - LAPIDE MARMOREA « BARICHA. ZABDA. ACHIBA ».
Iscrizione sepolcrale di tre ebrei affrancati da Lucio Valerio. Del I sec. Sulla Via Appia.

4-5 - ARCO DI TITO. Bassorilievo del candelabro ebraico.
Unica raffigurazione completa pervenutaci del Candelabro del Tempio di Gerusalemme, prescelto dal Parlamento d'Israele quale odierno emblema dello Stato. Il corteo, che si sta avvicinando all'arco trionfale, è formato da guerrieri romani in corta tunica con la preda fatta nella guerra giudaica. Gli arredi del Tempio di Gerusalemme sono sistemati su portantine: l'aurea mensa con due calici, le trombe usate dai Leviti, infine il candelabro d'oro a sette braccia da cui, durante il Medio Evo, l'arco prese il nome di « Arcus septem lucernarum ». Ai lati del candelabro incedono magistrati togati, tenendo in mano rametti d'alloro, sullo sfondo quelle tavole, su cui venivano scritti i nomi delle battaglie vinte e delle città conquistate.

6 - MONETA ROMANA « JUDAEA CAPTA ».
Sesterzio coniato da Vespasiano nel 71 per commemorare la vittoria di Tito sulla Giudea. Raffigura un legionario romano ed una ebrea piangente seduta sotto una palma; con dicitura « La Giudea è conquistata ». Collezione privata.

7 - ARCO DI TITO. Trionfo di Roma su Gerusalemme.
Commemora le vittorie riportate da Vespasiano e da Tito sugli ebrei di Palestina e la distruzione di Gerusalemme nel 70. Fu eretto nell'81, dopo la morte di Tito, nel punto più alto della Velia, alla sommità della Via Sacra, sulla quale Vespasiano e Tito erano passati, diretti al Campidoglio, nel loro fastoso trionfo con i trofei di guerra ed i settecento prigionieri ebrei condotti dalla Giudea. Ad un solo fornice, purissimo nelle forme, è il primo monumento di Roma di ordine composito, uno dei più semplici ma anche dei più importanti. Costruito in marmo, le parti mancanti vennero restaurate in travertino dal Valadier nel 1821.

by the bridle, while Victory crowns Titus in the triumphal chariot which is surrounded by lictors and allegorical figures who symbolise the virtues. The lacunar under-side of the arch.

9 - ARCH OF TITUS. Dedication.
It appears from the dedication on the middle part of the Attic Order on the Colosseum side, that the Arch was erected by the wish of the Senate and the Roman people in honour of the Emperor Titus Vespasian. The room inside the higher Attic Order was probably meant for the Emperor's ashes. The entablature which rests on the columns and passes above the arch is lavishly decorated. On the lower part of the Attic Order the freize shows the sacrificial procession — before the triumphal procession — with the sacrificial animals, the slaughterers and priests and a personified river Jordan — symbolising defeated Judea — lying at ease on a litter carried by men. In the triangles formed by the arch, the entablature and the lines of the columns there are winged victories carrying military insignia. On the key-stone of the arch above the freize, still facing the Colosseum, is the figure of Rome.

10 - TEMPLE OF PEACE. Column.
This column of African marble with its massive dimensions (1.20 metres in diameter x 12 metres in length) which lies on one of the lawns that line Via dei Fori Imperiali, was part of the Temple of Peace. Vespasian had it built in 71 after his son Titus' victory in Judea. It was considered the greatest museum of imperial Rome and the treasures of the Temple of Jerusalem — as Flavius Josephus says — were kept there after Titus had brought them back as trophies of the war in Judea. They were those shown in relief on the Arch of Titus: the Candlestick, the golden table, the trumpets used by the Levites. The Scroll of the Law and the purple curtains of the Temple were kept instead at the palace of Vespasian.

11-12 - MAMERTINE PRISON - Jewish prisoners.
Aristobulus II, King of Judea and Simon bar Giora, leader of the defence of Jerusalem were kept prisoner here and here the latter was executed during Titus' triumphal procession. It was the state prison of ancient Rome and was built at the foot of the Capitoline, perhaps in the fifth century B.C.E.

13 - MAMERTINE PRISON. Interior.
The prison consists of two large rooms one upon the other. The upper one was given over to the guarding of prisoners; the lower — which in ancient times was a cistern in tholos form into which it was possible to enter only by a hole in the roof — was used for execution.

14 - OSTIA ANTICA. Site of a Jewish community.
In this city, founded before 335 B.C.E., which later became a military and trading port for Rome, a Jewish community flourished and prospered between the first century C.E. and the fourth century. The ground plan showing long rows of booths facing each other across the streets, next to well-built houses of three storeys reveals clearly the character of a well-populated commercial city. After the construction of the port of Claudius, Ostia, which was linked to Rome by the waterway of the Tiber and by the Via Portuense, became the market of Rome and saw to its provisions. Jews from the East, from Alexandria or from Rome, but settled in Ostia, engaged in the intense trading and in the ancillary activities— dispatching of goods and the agencies of sales representatives (who had need of seventy offices) some of whose trading marks have survived in the mosaics of the huge Piazzale delle Corporazioni ostiensi.

8 - ARCO DI TITO. Bassorilievo della quadriga.
Quadriga con Tito vittorioso, guidato dalla stessa dea Roma, che conduce al morso i cavalli, mentre la vittoria incorona Tito sul suo carro trionfale, attorniato da littori e figure allegoriche, simboli delle virtù. Soffitto a cassettoni.

9 - ARCO DI TITO. Iscrizione dedicatoria.
Dall'iscrizione dedicatoria, nella parte mediana dell'attico sul lato del Colosseo, risulta che l'arco venne eretto per deliberazione del Senato e del Popolo romano in onore dell'Imperatore Tito Vespasiano. La camera all'interno dell'alto attico era destinata probabilmente a raccogliere le ceneri dell'imperatore. La trabeazione, che poggia sulle colonne e passa sull'arco, è decorata sfarzosamente. Nella parte inferiore dell'attico, il fregio raffigura la pompa sacrificale — prima del trionfo — con gli animali del sacrificio, condotti da vittimari e da sacerdoti e la figura del fiume Giordano, simbolo della Giudea sconfitta, adagiata su una lettiga sorretta da uomini. Nei triangoli delimitati dall'arco, dalla trabeazione e dalle linee delle colonne, vi sono vittorie alate munite di insegne guerresche. Nella chiave dell'arco, al di sopra del fregio, sempre verso il Colosseo, è la figura di Roma.

10 - TEMPIO DELLA PACE. Colonna.
Questa colonna di marmo africano di notevoli dimensioni. (diametro m. 1,20 per m. 12) giacente in una delle aiuole lungo la via dei Fori Imperiali, faceva parte del Tempio della Pace, fatto costruire da Vespasiano nel 71 dopo la vittoria riportata da suo figlio Tito sulla Giudea. In esso, considerato il più grande museo della Roma imperiale, vennero custoditi — come narra Giuseppe Flavio — i tesori del Tempio di Gerusalemme, portati da Tito al suo ritorno in patria come trofei della guerra giudaica e raffigurati nel rilievo dell'Arco di Tito: il candelabro d'oro a sette braccia, la mensa aurea e le trombe usate dai Leviti, mentre il Rotolo della Legge e le tende purpuree del Tempio vennero custoditi nella reggia di Vespasiano.

11-12 - CARCERE MAMERTINO. Prigionieri ebrei.
Aristobulo II, re della Giudea e Simone bar Ghiora, capo della difesa di Gerusalemme, furono qui tenuti prigionieri ed il secondo giustiziato durante il trionfo di Tito. Fu carcere di stato della Roma antica, costruito ai piedi del Campidoglio, forse nel V sec. prima dell'E.V.

13 - CARCERE MAMERTINO. Interno.
Il carcere è costituito di due vani sovrapposti: quello superiore era adibito alla custodia dei prigionieri, in quello inferiore quasi circolare — che anticamente costituiva una cisterna a tholos e nella quale si entrava solo attraverso un foro ricavato nella volta — avevano luogo le esecuzioni capitali.

14 - OSTIA ANTICA. Sede di una comunità ebraica.
Una comunità ebraica ebbe vita prospera e fiorente dal I sec. prima dell'E.V. fino al IV sec. in questa città, la cui origine risale al 335 prima dell'E.V. e che fu porto militare e commerciale di Roma. La struttura planimetrica, con le lunghe file di taberne affacciantisi nelle strade accanto ad abitazioni decorose che raggiungevano l'altezza di tre piani, documenta il carattere popoloso e commerciale della città.
Con la costruzione del porto di Claudio, Ostia, che era collegata a Roma con la via fluviale del Tevere e con la via Portuense, divenne l'emporio dell'Urbe provvedendo all'approvvigionamento della città. Agli intensi scambi commerciali ed a tutti i servizi organizzativi ad essi inerenti, — spedizioni di merci e rappresentanze di commercio, fatte da settanta uffici di cui al-

15 - SYNAGOGUE OF OSTIA. Jewish symbols.
The Seven-branch Candlestick (menorah), the palm-branch (lulav), the cedar (etrog) and the ram's horn (shofar), all objects of Jewish cult made easy the identification of the building that came to light in 1961, as the synagogue of the Jewish Community of Ostia.

16 - SYNAGOGUE OF OSTIA and Via Severiana.
The synagogue was situated not far from the old line of the shore, in accordance with the custom of building synagogues next to running water or beaches. The Via Severiana, probably built by Settimius Severus Commodo runs alongside of it. This road connects the mouth of the Tiber with Terracina where there was another Jewish community.

17 - MARBLE LAPIDARY «JUDEORUM»
A fragment of an inscription which speaks of the building of a tomb by the Gerusiarch Gaius Julius Justo for himself, his wife and his descendents on land given him by the Jewish community with the approval of their officers. This inscription led one to suppose, before the unearthing of the synagogue, that a community existed at Ostia.
The inscription is from the end of the first or the beginning of the second century. It comes from Castel Porziano. In the Museo Nazionale delle Terme.

18 - SYNAGOGUE OF OSTIA. Shrine of the Law.
The shrine is formed of an apse with four steps leading up to it. At the sides are two columns with composite capitals on which at present rest casts of the architraves decorated with Jewish symbols. It is not clearly known whether the Scrolls of the Law (Torah) were kept in the shrine itself or in a mobile arc. It seems certain however that there was an arc from an inscription of the II or III century found in the synagogue. The inscription, partly in Latin and partly in Greek was provided by the donor of the arc, Mindis Faustos.

19 - SYNAGOGUE OF OSTIA. Architrave of the Shrine of the Law.
One of the original architraves with its typical Jewish symbolism at present in the grounds of the Museo degli Scavi di Ostia.

20,21 - SYNAGOGUE OF OSTIA. General view.
This synagogue is the largest and oldest of those discovered in the Western world. It was discovered in 1961 during the construction of the road to the airport of Fiumicino. It goes back to the first century and was enlarged and enriched between the II and IV centuries. In the V century, as Ostia fell into decay, the synagogue lost its use. It stretches over an area of 850 sq.m. and consists of a prayer hall and of other rooms furnished with a marble table, an oven for unleavened bread, a well and a bath, perhaps for ritual washing.

22 - JEWISH CATACOMBS. Via Nomentana.
These catacombs, like the other Jewish catacombs of Rome came into use after cemeteries in the open air. They are formed of small narrow galleries cut in the tufa which sometimes open out into cubicles and arcosolia. Along the walls of these galleries — or ambulacra — are rectangular cavities — loculi — sometimes in several rows, which were used as graves for the dead who were then enclosed with bricks and slabs of marble. The ambulacra stretch for nine kilometres under the Villa Torlonia and its park. The oldest parts of these catacombs are decorated with Jewish and pagan symbols, and, as catacombs, they are the

cuni emblemi sono istoriati nei mosaici del grande Piazzale delle Corporazioni ostiensi — presero parte attiva gli ebrei affluiti dall'Oriente, da Alessandria d'Egitto e da Roma stabilitisi ad Ostia.

15 - SINAGOGA DI OSTIA. Simboli ebraici.
Il candelabro a sette braccia (Menoràh) il ramo di palma (lulàv), il cedro (etròg) ed il corno d'ariete (sciofàr), tutti oggetti del culto ebraico, hanno permesso di identificare nell'edificio venuto alla luce nel 1961, la Sinagoga della comunità ebraica di Ostia.

16 - SINAGOGA DI OSTIA e Via Severiana.
La sinagoga era situata non lontano dall'antico litorale, secondo l'uso di costruire le sinagoghe accanto a corsi d'acqua od a spiagge. E' costeggiata dalla Via Severiana, costruita probabilmente da Settimio Severo Commodo. Questa via collegava la foce del Tevere con Terracina, dove esisteva un'altra comunità ebraica.

17 - LAPIDE MARMOREA « JUDEORUM ».
Frammento di iscrizione che indica l'avvenuta costruzione di un monumento sepolcrale da parte del gerusiarca Caio Giulio Giusto per sé, per la famiglia e successori, su un terreno ricevuto in dono dalla comunità ebraica con l'approvazione degli organi communitari. Questa iscrizione fece supporre l'esistenza di una comunità ebraica ostiense anteriormente alla scoperta della sinagoga di Ostia.
L'iscrizione risale alla fine del I o all'inizio del II sec., proviene da Castel Porziano ed attualmente si trova nel Museo Nazionale delle Terme.

18 - SINAGOGA DI OSTIA. Edicola della Legge.
Edicola composta di un'abside con quattro gradini anteriori. Ai lati due colonne con capitelli compositi, sui quali sporgono attualmente i calchi degli architravi con simboli ebraici.
Non risulta con certezza se i Rotoli della Legge (Toràh) fossero custoditi direttamente nell'edicola o se vi fosse inserita un'arca mobile. L'esistenza di un'arca pare accertata però da una iscrizione del II o III sec. rinvenuta nella sinagoga — parte in latino e parte in greco — del donatore dell'arca Mindis Faustos.

19 - SINAGOGA DI OSTIA. Architrave dell'edicola della Legge.
Uno dei due architravi originali, con i caratteristici simboli ebraici situati attualmente in prossimità del Museo degli Scavi di Ostia.

20,21 - SINAGOGA DI OSTIA. Veduta generale.
Questa sinagoga è la più grande di quelle finora rinvenute e la più antica del mondo occidentale. Fu scoperta nel 1961, durante i lavori per la costruzione della strada che conduce all'aeroporto di Fiumicino. Risale al I sec., è stata ampliata ed abbellita dal II al IV sec. Nel V sec., con la decadenza di Ostia, la sinagoga andò in disuso. Si estende su una superficie di 850 metri quadrati, è composta di un'aula di preghiera e di altri vani muniti rispettivamente di un tavolo di marmo, di un forno per il pane azzimo, di un pozzo e di una vasca forse per il bagno rituale.

22 - CATACOMBE EBRAICHE. Via Nomentana.
Queste catacombe, entrate in uso come le altre catacombe ebraiche di Roma dopo i cimiteri a cielo aperto, sono formate da strette ed anguste gallerie tagliate nel tufo, che talvolta si allargano in spazi più ampi, formando cubicoli ed arcosoli. Lungo i muri di queste gallerie — o ambulacri — si aprono i loculi, cavità rettangolari talvolta a più ordini, che servivano per poter deporre i defunti, ve-

richest in painting as those of Monteverde, the oldest Jewish cemetery in the West, were richest in epigraphs and styles of burial. With the discovery of three bricks carrying the stamp of the first century we can set an initial date for these catacombs that were discovered by chance in 1919. Most of them are at the moment blocked by landslides.

23 - JEWISH BURIAL CHAMBER. Via Appia.
This tomb lies in the Catacomb ot Vigna Randanini, some small distance from those of Villa Cimarra and Via Pignatelli. The funereal inscription in Greek, on a swallow-tailed cornice tells us that the tomb belonged to Petronius, the twenty-four year old son of Honoratus and Petronia. The decoration of this burial chamber is not restricted only to Jewish symbolism, for the ceiling vault contains elements of mythology and pagan allegory which show the influence of the pagan world on the Jews of Rome. The date of the Vigna Randanini catacombs is revealed by the stamp on the bricks one of which goes back to the first century while another six are of the second century, though the catacombs had their period of greatest use in the following two centuries. Since the inscription of this tomb is in Greek, it probably belongs to the period of the first and second centuries, for after that time tomb-stone inscriptions were generally in Latin. These catacombs were discovered in 1859 and are therefore second in order of discovery after those of Monteverde.

24 - JEWISH ARCOSOLIUM. Via Nomentana.
This arcosolium — a sepulchral arc surmounted by a round-headed arc — lies in the enormous network of the catacombs of Villa Torlonia on the Via Nomentana, specifically in the oldest part were the burial chambers and arcosolia are mostly decorated with many-colour frescoes, of Hebrew and pagan motifs. The ornamentation of this arcosolium is typically Jewish, the open Aron Hakodesh, in which can be made out the Scrolls of the Law, is flanked by two large candelabra and other cult objects. In the Jewish catacombs of Rome, the shrine and the Scrolls of the Law occur frequently along with the Seven-branch Candlestick.

25 - MARBLE LAPIDARY « SAMUEL ».
The inscription in Greek reads « Samuel, a child one year and five months old. May his sleep be peaceful. Be brave, Samuel, nobody is immortal ». Decorated with an open arc containing the Scrolls of the Law flanked by two Seven-branch Candlesticks. It comes from the old Jewish burial grounds of Portuense. In the Basilica of St. Paul Outside the Walls.

26 - JEWISH SARCOPHAGUS.
The simplicity of the decoration which is restricted to Jewish symbols, candlestick, horn, cedar and radish (used in the celebration of the Seder, eve of the Jewish Easter) lead one to suppose that the sarcophagus belonged to an orthodox Jew. Origin uncertain.

27 - JEWISH SARCOPHAGUS OF THE FOUR SEASONS. Fragment.
The Jewish candlestick incised in the clipeus, is held up by two winged cupids; other figures carry two geese, game and a basket of fruit, while a group of young men is pressing grapes in a vat under the clipeus. On the fragment autumn and summer are shown, the other two seasons are missing. It is strange to find such images on a Jewish sarcophagus. It is clear that the purchaser of the sarcophagus felt the influence of Roman art. From the catacombs of Via Appia (?). In the Museo Nazionale delle Terme.

nendo poi chiuse con mattoni o con lastre di marmo. Gli ambulacri si susseguono per la lunghezza di nove chilometri nel sottosuolo della Villa Torlonia e del suo parco. Queste catacombe, affrescate nella parte più antica con simboli ebraici e con decorazioni pagane, sono le più ricche di pitture così come quelle di Monteverde — il più antico cimitero ebraico dell'occidente — erano le più ricche di materiale epigrafico e di modi di sepoltura. Dal ritrovamento di tre mattoni con il timbro del I sec., possiamo stabilire la datazione iniziale di queste catacombe, scoperte per caso nel 1919. Attualmente esse sono nella maggior parte ostruite da frane.

23 - CAMERA SEPOLCRALE EBRAICA. Via Appia.
Questa tomba si trova nelle Catacombe di Vigna Randanini, a poca distanza da quelle di Villa Cimarra e di Via Pignatelli. L'iscrizione funeraria in greco, in una cornice a coda di rondine, ci rivela che la tomba apparteneva a Petronio, figlio ventiquattrenne di Onorato e di Petronia. La decorazione pittorica di questa camera funeraria non si limita alla vera e propria figurazione ebraica, dato che nella volta del soffitto attinge anche ad elementi mitologici ed allegorici pagani, rivelando così l'influenza del mondo pagano sugli ebrei di Roma. La datazione delle catacombe di Vigna Randanini ci viene data dalla stampigliatura dei mattoni, ivi rinvenuti, uno dei quali risale al I sec. ed altri sei al II sec., ma il maggiore sviluppo di queste catacombe venne raggiunto nei due secoli successivi. Essendo l'iscrizione di questa tomba in greco, essa dovrebbe risalire al periodo compreso fra il I ed il II sec., dato che, dopo questa epoca, vennero generalmente usate lapidi con iscrizioni in latino. Queste catacombe vennero scoperte nel 1859, seconde quindi in ordine di tempo, dopo quelle di Monteverde.

24 - ARCOSOLIO EBRAICO. Via Nomentana.
Questo arcosolio — arca sepolcrale sormontata da un arco a tutto sesto — si trova nella vasta rete delle Catacombe di Villa Torlonia sulla Via Nomentana, e precisamente nella parte più antica, le cui camere funerarie ed arcosoli sono in parte decorati con affreschi policromi sia di motivi ebraici che pagani. Gli ornamenti di questo arcosolio sono tipicamente ebraici: l'Aròn Hakodesh aperto, in cui s'intravedono i Rotoli della Legge è fiancheggiato da due grandi candelabri e da altri oggetti del culto ebraico. Nelle catacombe ebraiche di Roma l'Arca della Legge ricorre con frequenza accanto al candelabro a sette braccia.

25 - LAPIDE MARMOREA «SAMUELE».
Iscrizione sepolcrale in greco di « Samuele, bambino di un anno e cinque mesi. Che il sonno sia in pace. Coraggio, Samuele, nessuno è immortale ». Decorata con un'arca aperta contenente i Rotoli della Legge, fiancheggiata da due candelabri a sette braccia.
Proviene dall'antico sepolcreto ebraico della Portuense. Nella Basilica di S. Paolo fuori le Mura.

26 - SARCOFAGO EBRAICO.
La semplicità della decorazione limitata ai soli simboli ebraici, candelabro a sette braccia, corno d'ariete, cedro e rafano — quest'ultimo usato nel rituale del Seder, vigilia della Pasqua ebraica — fa supporre che il sarcofago sia di un ebreo osservante. Provenienza incerta.

27 - SARCOFAGO EBRAICO DELLE QUATTRO STAGIONI. Frammento.
Il candelabro ebraico, scolpito nel clipeo, è sorretto da due genietti alati; altre figure hanno in mano due anatre, un cestino di frutta ed altra selvaggina, mentre giovani pigiano uva entro un tino al di sotto del clipeo. Sul frammento sono raffigurati l'autunno e

28-29 - LID OF JEWISH SARCOPHAGUS.
The tomb inscription of Faustina, a Jewish actress, on the fragment of the lid of a marble sarcophagus, which is ornamented with three masks — a symbol for the theatre — and typical Jewish symbols: menora, ram's horn, palm-branch and the word « peace » in Hebrew. Found two miles out along the Via Appia about 1722. In the Museo Nazionale delle Terme.

30 - MARBLE LAPIDARY « SIGISMUDU ».
Fragment of a tomb inscription in Latin; the cornice with handles. The handle is decorated with the menorah, lulav and shofar and the words « in peace » in Hebrew. It is the only funereal inscription in Rome in which a name of German origin is present. From the hill of Monteverde. In the Museo Nazionale delle Terme.

31 - MARBLE LAPIDARY « BARZAHARONA ».
Tomb inscription in Greek and Latin of Tubias Barzaharona and his son. Ornamented with two candlesticks and the word « peace » in Hebrew, repeated four times. From the area of Porta Portuense. In the Museo Nazionale delle Terme.

32 - JEWISH LAMPS.
Clay lamp with spout, ornamented with the menorah in relief on the disc and typical incisions of triangles, small circles and small roses. In the German cemetery.

33 - GOLD-GLASS WITH JEWISH SYMBOLS.
Among the objects found in the Jewish catacombs of Rome are the pieces of gilded glasses which originally were the bottoms of goblets and glasses. Made up of two thin pieces of glass between which decorated gold leaf was put. They were generally used either for ornament or identification of tombs.
The top side of this piece of gold-glass shows the Arc of the Law guarded by two lions with the Greek inscription « Anastasius, drink, live ». The upper side has traditional Jewish symbols. It belongs to the third or fourth century. From the Jewish catacombs of Monteverde. In the Vatican Museum.

34-35 - MEDIEVAL SYNAGOGUE IN TRASTEVERE.
The synagogue is situated in Vicolo dell'Atleta — once Vicolo delle Palme — in the Trastevere quarter, where there was the largest concentration of Jews in Rome from their first arrival until fifteen hundred years later.
It has been identified by many scholars as the synagogue founded by Nathan ben Jechiel (1035-1106), the famous lexicographer, a profound scholar of the Talmud and the author of «Aruch», an encyclopaedic work on the Talmud. This medieval building is at present given over to private dwelling and bears the street numbers 13-14. On the central supporting column of the arches of the façade several Hebrew characters are still visible.

36 - HEBREW CODEX - XIV Century.
Parchment codex of the Pentateuch, the Prophets and the Hagiographa with Massoretic decoration.
Jewish Community of Rome.

37 - KETUBAH - marriage contract.
The manuscript parchment ketubah of Samuel Mamati and Perla Ashkenazi dated the twelfth of Shevat 5543 i.e. 1783. The margins have a multi-coloured floral decoration; the lower part, lions, a heart and crown.
Jewish Community of Rome.

38 - BERACHOT-Blessings.
A parchment scroll — a manuscript from 1600 — which contains the bless-

l'inverno, mancano le altre due stagioni. E' strano trovare su un sarcofago ebraico simili raffigurazioni. E' chiaro quindi che l'acquirente del sarcofago risentì l'influenza dell'arte romana. Proviene dalle Catacombe della Via Appia (?). Nel Museo Nazionale delle Terme.

28-29 - COPERCHIO DI SARCOFAGO EBRAICO.
Iscrizione sepolcrale di Faustina, attrice ebrea, sul frammento del coperchio di un sarcofago marmoreo, che è adorno di tre maschere, simbolo del teatro, e dei caratteristici simboli ebraici: menoràh, corno d'ariete, ramo di palma e la parola «pace», in ebraico. Rinvenuto al 2° miglio della Via Appia verso il 1722. Nel Museo Nazionale delle Terme.

30 - LAPIDE MARMOREA « SIGISMUDU ».
Frammento di iscrizione sepolcrale in latino con cornice ansata. L'ansa è ornata da menoràh, lulàv e sciofàr e dalle parole « in pace », in ebraico. E' l'unica iscrizione funeraria di Roma in cui risulti un nome di origine germanica. Proviene dalla collina di Monteverde. Nel Museo Nazionale delle Terme.

31 - LAPIDE MARMOREA « BARZAHARONA ».
Iscrizione sepolcrale greco-latina di Tubias Barzaharona e di suo figlio. Adorna di due candelabri e della parola « pace » in ebraico, ripetuta quattro volte. Proviene dalla zona di Porta Portuense. Nel Museo Nazionale delle Terme.

32 - LUCERNE EBRAICHE.
Lucerne fittili ad un beccuccio, con menoràh rilevata nel disco ed ornate dai caratteristici fregi costitulti da triangoli, da cerchietti e da piccoli rosoncini. Nel Camposanto Teutonico.

33 - VETRO DORATO con simboli ebraici.
Fra gli oggetti rinvenuti nelle catacombe ebraiche di Roma, vi sono i vetri dorati, che originariamente erano fondi di coppe o di bicchieri, composti da due sottili vetri sovrapposti, fra i quali erano inserite raffigurazioni pittoriche su leggerissime lamine d'oro. Venivano usati generalmente sulle tombe per ornamento o per l'identificazione di esse.
Nella parte superiore di questo vetro dorato è raffigurata l'Arca della Legge, custodita da due leoni con l'iscrizione in greco « Anastasio, bevi, vivi ». Nella parte inferiore i tradizionali simboli ebraici. Del III o IV sec. Proviene dalle Catacombe ebraiche di Monteverde. Nel Museo Vaticano.

34-35 - SINAGOGA MEDIOEVALE a Trastevere.
Situata in vicolo dell'Atleta, antico vicolo delle Palme, nel rione di Trastevere, dove vi fu la maggiore concentrazione di ebrei dalla loro venuta a Roma e per i successivi quindici secoli è stata identificata da molti studiosi come l'antica sinagoga fondata da Nathan ben Jechiel (1035-1106), famoso lessicografo, profondo conoscitore del Talmud ed autore dell'« Arùkh », opera talmudica enciclopedica. Questa casa medioevale è adibita attualmente ad abitazione privata ed è contrassegnata dai numeri civici 13-14. Sulla colonna centrale di sostegno alle due arcate della facciata sono ancora visibili alcuni caratteri ebraici.

36 - MANOSCRITTO EBRAICO.
Codice pergamenaceo del Pentateuco, Profeti ed Agiografi, con decorazione massoretica del XIV sec. Comunità israelitica di Roma.

37 - KETUBAH, contratto di matrimonio.
Ketubàh pergamenacea manoscritta, di

ings to be recited at the feast of Purim before the reading of the Book of Esther. Multi-coloured floral decoration with columns and arches. Private collection.

39 - BINDING OF A JEWISH BOOK.
Binding in hammered silver of a collection of prayers for the use of Spanish Jews in the autumn feastdays. Both plates are decorated with floral motifs. In the centre the dedication in Hebrew from the Efrati family to the Scuola Castigliana in 1780. The work of the Roman silversmith Filippo Maria Gondi. Jewish Community of Rome.

40 - ATARAH - Crown of the Tora.
Crown of hammered silver decorated with floral motifs, lions rampant and a dedication in Hebrew. End of the seventeen hundreds.
Jewish Community of Rome.

41 - RIMON - Headpiece of the Tora.
Headpiece of pierced silver in the form of an hexagonal lantern, decorated with floral motifs and chains with bells.
Jewish Community of Rome.

42-43 - PORTICO OF OCTAVIA in the Jewish quarter.
It was built in the interval between the second and third Maccabean mission and rebuilt by Augustus. This Portico witnessed from the very beginning all that happened in the history of the Jews in Rome. Vespasian and Titus met the Senate here, and from here — according to Flavius Josephus — the triumphal procession of Titus, victor of the war in Judea, set out.
During the Middle Ages the Portico of Octavia witnessed the vicissitudes in the lives of the Jews. Among the ruins of the Portico, which serve it as an atrium and draw it near to the Ghetto, is the Church of S. Angelo in Pescheria where the Jews were forced to listen to sermons by Christian preachers after being inspected — so the story goes — to see that they had not stuffed their ears with cotton wool or wax pellets.

44 - CHURCH OF ST. GREGORY OF DIVINE PITY, in the Jewish Quarter.
An inscription from 1858 on the façade of the Church, in front of which stood one of the eight gates of the Ghetto. The verses are from the prophet Isaiah ch. LXV. 2-3: « I have stretched out my hands all day to a ribellious people who walk in an evil way, following their own thoughts; to a people who continually provoke me to wrath ».

45 - SCULPTURES on a house-front in the Ghetto.
Ancient sculptures, inscriptions, Roman bas-reliefs on the fronts of houses eroded by time contrasted strongly with the poverty-stricken look of the hundreds of houses heaped one on top of another within the narrow confines of the Ghetto.

46 - MARBLE LAPIDARY « SHABTAI HAKIM ».
A lapidary stone in Hebrew from 1756, showing the conditions set by Shabtai Hachim on a donation of a thousand scudi for carrying out religious services and for the welfare services. In particular it speaks of the setting up of an eternal light- Ner Tamid. In the rear courtyard of the Synagogue.

47 - JEWISH FOUNTAIN.
A supposed part of the fountain that was set up in Piazza delle Scole in 1614 by concession of Paul V. Up until that time the Jews of the Ghetto had to use the unhealthy water of the Tiber.
In the rear courtyard of the Synagogue.

48 - ROMAN CAPITAL with Hebrew inscription.
The tomb inscription, in Hebrew, of Abraham Ashkenazi, president of the Council of the University of Rome or of some fraternity who died on the

Samuele Mammati e di Perla Aschenazi del 12 di Scevat 5543, cioè del 1783. Ai bordi motivo decorativo floreale policromo, nella parte inferiore leoni, cuore e corona. Comunità israelitica di Roma.

38 - BERACHOT. Benedizioni.
Rotolo pergamenaceo manoscritto del XVII sec. contenente le Benedizioni della festa di Purim da recitare prima della lettura del Libro di Ester. Decorazione policroma floreale con colonne ed archi. Collezione privata.

39 - RILEGATURA di libro ebraico.
Rilegatura in argento sbalzato di un formulario di preghiere ad uso degli ebrei spagnoli per le feste autunnali. Entrambi i piatti sono decorati con motivi floreali, nei cartigli centrali vi è la scritta dedicatoria in ebraico della famiglia Efrati alla Scuola Castigliana, dell'anno 1780. Opera dell'argentiere romano Filippo Maria Gondi. Comunità israelitica di Roma.

40 - ATARAH, corona della Toràh.
Corona d'argento sbalzato, decorata con motivi floreali, leone rampante e scritta dedicatoria in ebraico della fine del 1700. Comunità israelitica di Roma.

41 - RIMON, terminale della Toràh.
Terminale d'argento traforato, a forma di lanterna esagonale, decorato con motivi floreali e catene munite di campanelli. Comunità israelitica di Roma.

42-43 - PORTICO DI OTTAVIA. Nel quartiere ebraico.
Eretto nel periodo, fra la seconda e terza ambasceria dei Maccabei e rifatto da Augusto, questo portico fin dall'inizio fu testimone degli eventi succedutisi nella storia degli ebrei di Roma. Vespasiano e Tito davanti a questo portico incontrarono il Senato e da qui — secondo la descrizione di Giuseppe Flavio — ebbe inizio la cerimonia del trionfo di Tito, vincitore della guerra giudaica.
Anche durante il Medio Evo, il Portico d'Ottavia fu testimone delle vicissitudini degli ebrei. Tra le rovine del portico, che le fanno da atrio ed attigua al ghetto, vi è la chiesa di S. Angelo in Pescheria, dove gli ebrei erano costretti ad ascoltare le prediche coatte di predicatori cristiani, dopo essere stati sottoposti — come si narra — all'ispezione delle orecchie per accertare se essi, per non sentire, le avessero chiuse con batuffoli di ovatta o con pallottoline di cera.

44 - CHIESA DI SAN GREGORIO DELLA DIVINA PIETA', nel quartiere ebraico.
Iscrizione del 1858 posta sulla facciata della Chiesa, dinanzi alla quale si apriva una delle otto porte del ghetto. I versi sono del profeta Isaia, cap. LXV, 2,3.
« Ho steso tutto il giorno le mani verso un popolo ribelle che cammina per una via non buona, seguendo i propri pensieri; verso un popolo che mi provoca continuamente a sdegno ».

45 - ANTICHE SCULTURE su una facciata.
Sulle facciate delle case, corrose dal tempo, le antiche sculture, le iscrizioni ed i bassorilievi romani contrastavano con l'aspetto povero delle centinaia di case ammassate a ridosso una dell'altra nell'angusto recinto del ghetto.

46 - LAPIDE MARMOREA « SCIABTAI HACHIM »
Lapide in ebraico del 1756 con le condizioni apposte alla donazione di mille scudi da parte di Sciabtai Hachim, riguardanti l'adempimento dei servizi di culto e di assistenza e particolarmente l'istituzione di una lampada — Ner tamid — perpetuamente accesa. Nel cortile posteriore del Tempio israelitico.

twelfth of Nissan 5330 (March 18,1570) coming originally from the Jewish cemetery in Trastevere, it was probably used, along with four other capitals with Hebrew inscriptions, as building material for the section of wall built by Urban VIII. Later an ancient bust of Apollo (?) was cemented onto it which, when it fell off, took the cement with it to reveal the old Hebrew inscription. In a courtyard of the main office of the Banca d'Italia, Rome.

49 - JEWISH CEMETERY on the Aventine.
A modern stele showing the Tables of the Law in the Roseto di Roma with the ruins of the Palatine in the background commemorates the old Jewish cemetery which covered the slopes of the Aventine and which was, from 1645 to 1894 (the year in which the present cemetery of the Verano came into use) the last resting-place of Roman Jews. The decrees of Urban VIII (1625) and Pius VI (1775) forbade the Jews to put up grave-stones or write inscriptions on any graves but those of Rabbis. These decrees were not repealed until as late as 1846. For these reasons very few grave-stones were found and moved when, in 1934, the cemetery was expropriated by the government and the remains of the dead moved to Verano.

50 - GIACOMO VENEZIAN (?-1849).
A Jew from Trieste who, as a member of the Legione Lombarda under the command of General Giacomo Medici took part and fell in the Battle of the Vascello on the Janiculum during the strenuous defence of Rome in 1849. In the wall of the Vascello a marble bust commemorates this man who gave his life for the freedom of Rome. The Commune has named a street after him in Trastevere.

51 - ENRICO GUASTALLA (1826-1903).
He was a Jewish liberal who suffered detention for his political activities in the troubles of 1848. He enlisted in the Legione Mantovana and took part in the defence of Rome and was proclaimed « Corporal of the Vascello » by Garibaldi. Later he took part in all Garibaldi's enterprises and reached the rank of colonel. After becoming a staff officer he followed Garibaldi to the end, accompanying him, as did others, when he went into exile at Caprera. In Genoa he edited a newspaper « Libertà ed Associazione » and in 1863, as an expatriate in Paris he served on the committee for Poland. He was a deputy in the Italian Parliament and was decorated with the Order of Savoy and the Military Medal for Valour. The city council of Milan has named a garden and a street near the synagogue after Guastalla. His bust is on the Janiculum, on the central avenue that is lined, as are the other avenues, with marble busts of Garibaldi's soldiers.

52 - THE SYNAGOGUE and the Tiber Island.
In accordance with the ancient custom the Synagogue was built along a water course: the Tiber — near to Ponte Quattro Capi, which in the Middle Ages was called Pons Judaeorum and which links the left bank of the Tiber with the Isola Tiberina. In the foreground the remains of Ponte Emilio which is also called Palatine or the Broken Bridge because of the series of collapses which made it unadvisable to restore it.

53 - SYNAGOGUE and heads of four-faced Janus.
The Synagogue, the symbol of the emancipation achieved by the Jews of Rome, rises on the banks of the Tiber between the Portico d'Ottavia and Ponte Fabricio, which, after being called the Bridge of the Jews, was named Ponte Quattro Capi after the heads of four-faced Janus on its parapets. The Synagogue which was planned by the

47 - FONTANA EBRAICA.
Presunta parte della fontana che nel 1614 fu eretta nella Piazza delle Scole, in seguito alla concessione di Paolo V. Fino a quell'epoca gli ebrei del ghetto dovevano servirsi delle acque malsane del Tevere. Nel cortile posteriore del Tempio israelitico.

48 - CAPITELLO ROMANO con iscrizione ebraica.
Iscrizione sepolcrale ebraica di Abramo Aschenazi, presidente del Consiglio dell'Università di Roma o di qualche Confraternita, deceduto il 12 di Nissan 5330, corrispondente al 18 marzo 1570. Proveniente dal Cimitero ebraico di Trastevere fu probabilmente usato insieme ad altri quattro capitelli con iscrizioni ebraiche come materiale di costruzione nel tratto di mura edificate sotto Urbano VIII. Sul capitello venne successivamente fissato con cemento un antico busto di Apollo (?), che staccandosi casualmente dalla base e trascinando con sé il cemento, lasciò scoperta l'antica iscrizione ebraica del capitello. In un cortile della Sede della Banca d'Italia.

49 - CIMITERO EBRAICO dell'Aventino.
Una moderna stele con le Tavole della Legge, situata nel Roseto di Roma ed avente per sfondo le rovine del Palatino, ricorda il luogo dell'antico Cimitero ebraico, che si estendeva sulle pendici dell'Aventino e che dal 1645 al 1894 — anno in cui entrò in uso l'attuale Cimitero del Verano — fu l'ultima dimora degli ebrei di Roma. I decreti di Urbano VIII del 1625 e quello di Pio VI del 1775 vietarono agli ebrei di apporre lapidi o iscrizioni sui sepolcri, fatta eccezione per i rabbini; queste interdizioni furono soppresse solo nel 1846. Per queste ragioni, poche furono le lapidi che vennero trovate e rimosse, quando nel 1934 il Cimitero venne espropriato dal Governatorato e le salme vennero trasiate al Verano.

50 - GIACOMO VENEZIAN. (?-1849).
Ebreo triestino che, facendo parte della Legione Lombarda al comando del generale Giacomo Medici, cadde nel 1849 nella battaglia del Vascello sul Gianicolo, durante la strenua difesa di Roma. Nel muro del Vascello, un busto marmoreo ricorda la figura di questo combattente caduto per la libertà di Roma. Il Comune gli ha dedicato una strada in Trastevere.

51 - ENRICO GUASTALLA (1826-1903).
Ebreo liberale, che nei moti del 1848 subì la detenzione politica. Liberato, si arruolò nella Legione Mantovana e nel 1849 prese parte alla difesa di Roma, venendo designato da Garibaldi come « Caporale del Vascello ». Successivamente partecipò a tutte le imprese garibaldine, raggiungendo il grado di colonnello, entrando nello stato maggiore e restando fino alla fine fra i seguaci di Garibaldi, quando questi si ritirò in esilio a Caprera. A Genova diresse il giornale « Libertà ed Associazione » e nel 1863, espatriato a Parigi, prese parte al comitato pro Polonia. Fu deputato al Parlamento italiano, decorato dell'ordine di Savoia e della medaglia al valor militare. Il Comune di Milano ha intestato a Guastalla il giardino nella via omonima, accanto alla sinagoga. Il suo busto si trova sul Gianicolo, lungo il viale centrale fiancheggiato, come gli altri viali, dai busti marmorei dei maggiori garibaldini.

52 - TEMPIO ISRAELITICO e l'Isola Tiberina.
Seguendo l'antico uso ebraico, il Tempio sorge lungo un corso d'acqua: il Tevere, accanto al Ponte Quattro Capi, che nel Medio Evo venne chiamato Pons Judaeorum e che congiunge la riva sinistra del Tevere con l'Isola Tiberina. In primo piano i resti del Ponte Emilio, detto anche Palatino o Ponte Rotto, per i ripetuti crolli subiti, che ne sconsigliarono il definitivo restauro.

architects Vincenzo Costa and Osvaldo Ormanni in an Assyrio-Babylonian style, was inaugurated on the 2nd of July 1904 in the presence of the King of Italy and solemnly consacrated on the 28th of July of the same year.

54-55 - THE SYNAGOGUE. Interior and façade.
The apse and all the interior are rich in gold ornamentation traditionally similar to those of Solomon's Temple. The Synagogue replaced the five small schools that had existed before it and some of their furnishings are preserved at the sides of the apse. In the crypt there are the oratory of the Tripolitan Jews and the social and cultural centre of the community. On the façade over the main entrance the Seven-branch Candlestick, a recurring symbol in the history of the Jews of Rome, is depicted together with the Tables of the Ten Commandments.

56 - SYNAGOGUE AND ROMAN RUINS.
Between the Teatro di Marcello and the remains of the side of the Portico d'Ottavia the Synagogue and its adjacent square can be seen. In the square a stone commemorates the infamous deportation of 2091 Roman Jews who were crowded together in the square by German SS during the raid on the Ghetto that began on the 16th of October 1943.

57 - MAUSOLEUM OF THE FOSSE ARDEATINE. The martyrs.
The Mausoleum, which was built in perpetual memory of the 335 martyrs cut down by the Nazis on 24th March 1944, is erected on the site of the massacre — originally a sandstone quarry between the Catacombs of Domitilla and S. Callisto, not far from the Jewish catacombs. It was designed by the architect Perugini; the group of martyrs is by the sculptor Coccia. On the Via Ardeatina.

58 - THE OUTSIDE GATE. Detail.
The Star of David, which, together with the Cross, stands over the cemetery, seen through the outside gate, made by the sculptor Mirko Basaldella.

59 - THE GRAVES.
The graves of 75 Jews by those of 260 non - Jews under the enormous grey grave stone, in the form of a parallelepiped, which roofs in the Mausoleum.

60 - THE PRESENT JEWISH QUARTER. The main street.
The Via del Portico d'Ottavia seen through a brick arch in the portico itself. At the beginning of the road stand several of the portico's columns.

61 - VIA DELLA TRIBUNA DI CAMPITELLI.
A street in the quarter called « Contrada Judaeorum in Regione Sancti Angeli », i.e. the area the Jews chose as a place to live before they were shut in the Ghetto.

62 - SHOPS in the Jewish quarter.
Via del Portico d'Ottavia is lined with shops belonging to Jews which sell, apart from the goods of the reborn State of Israel, the gastronomic specialities of the Jews passed on from generation to generation.

63 - VIA DELLA REGINELLA.
More than any other street in the Jewish quarter this still has the features of the Ghetto. It was embraced by the notorious wall in the small expansion allowed by Leo XII in 1825, following an intervention of the Rothschild family who was concerned at the overcrowding of the Jews in the Ghetto. The house bearing the number 15 belonged to the « Rechiza Fraternity » which dealt with the last rites and the dispensing of charity to the poor.

53 - TEMPIO ISRAELITICO e l'erma di Giano.
Simbolo della conquistata emancipazione degli ebrei di Roma, si erge sulle rive del Tevere fra il Portico di Ottavia ed il Ponte Fabricio che, dopo essere stato chiamato Ponte degli Ebrei, successivamente prese il nome di Ponte Quattro Capi dalle erme di Giano quadrifronte situate sui parapetti di esso. Di stile assiro-babilonese, su progetto degli architetti Vincenzo Costa e Osvaldo Ormanni, venne inaugurato il 2 luglio 1904, alla presenza del Re d'Italia e solennemente consacrato il 28 luglio dello stesso anno.

54-55 - TEMPIO ISRAELITICO. Interno e facciata.
L'abside e tutto l'interno abbondano di elementi decorativi aurei, tradizionalmente simili a quelli del Tempio di Salomone. Il Tempio israelitico venne a sostituire le cinque piccole « Scholae » precedentemente esistenti, conservando parte dei loro arredi ai lati dell'abside. Nel sottosuolo vi sono l'oratorio degli ebrei tripolitani ed il centro sociale della comunità per le attività culturali e sociali. Sulla facciata d'ingresso risaltano il candelabro a sette braccia, simbolo ricorrente nel lungo arco della storia degli ebrei di Roma e le Tavole dei dieci Comandamenti.

56 - SINAGOGA e rovine romane.
Fra il Teatro di Marcello ed i resti del fianco del Portico di Ottavia si scorge la Sinagoga con l'adiacente piazzetta, sulla quale una lapide ricorda l'infame deportazione dei 2091 ebrei di Roma, ammassati in questo luogo dalle SS tedesche nella razzia iniziata nel ghetto il 16 ottobre 1943.

57 - MAUSOLEO DELLE FOSSE ARDEATINE. I martiri.
Il Mausoleo, eretto a perenne ricordo dei 335 martiri stroncati il 24 marzo 1944 dalla barbarie nazista, sorge sul luogo dell'eccidio, originariamente antica cava di arenaria fra le Catacombe di Domitilla e di S. Callisto e non lontana dalle Catacombe ebraiche. Progetto dell'architetto Perugini, gruppo dei martiri dello scultore Coccia. Sulla Via Ardeatina.

58 - IL CANCELLO ESTERNO. Particolare.
La Stella di David, che insieme alla Croce sovrasta il Cimitero, vista attraverso il cancello esterno, opera dello scultore Mirko Basaldella.

59 - LE TOMBE.
Le tombe dei 335 martiri, di cui 75 ebrei sotto l'enorme, massiccia e grigia lastra tombale, a forma di parallelepipedo, che fa da soffitto al Mausoleo.

60 - QUARTIERE EBRAICO. La strada principale.
Via del Portico di Ottavia vista attraverso un arco di laterizi del portico stesso. All'inizio della via, alcune colonne del portico.

61 - VIA DELLA TRIBUNA DI CAMPITELLI.
Una via della zona chiamata « Contrada Judaeorum in Regione Sancti Angeli », scelta come dimora dagli ebrei prima che essi venissero rinchiusi nel ghetto.

62 - NEGOZI, nel quartiere ebraico.
Sulla via del Portico di Ottavia si aprono negozi di ebrei che, accanto ai prodotti del risorto Stato di Israele, reclamizzano le specialità culinarie ebraiche, tramandate di generazione in generazione.

63 - VIA DELLA REGINELLA.
Più di ogni altra via del quartiere ebraico, questa conserva tuttora l'impronta del vecchio ghetto. Venne inclusa nell'infamante recinto nel piccolo ampliamento concesso nel 1825 da Leone XII, dietro l'intervento dei Rothschild, preoccupati dell'eccessivo concentra-

64 - THE HOUSE OF MANILIO « ad forum Judaeorum ».
An inscription in Roman characters on slabs of Travertine stone on the façade of the house of Lorenzo Manilio, a merchant, perpetuates his wish to contribute at a time when there was a new impetus in building, to the embellishment of the city. In 1497, before the setting up of the Ghetto he built his house « ad forum Judaeroum » decorating the front with Roman sculpture. Via del Portico d'Ottavia.

65 - LAPIDARY STONE OF A JEWISH FRATERNITY and a Roman bas-relief.
A small inscription, which in Hebrew and Italian invites passersby to make an offering for orphans, is situated on the front of the house of Lorenza Manilio, which still conserves its ornament of a funereal bas-relief of the Roman period. Via del Portico d'Ottavia.

66 - FONTANA DELLE TARTARUGHE in the Jewish Quarter.
The fountain stands by Palazzo Mattei, the house of the Mattei family who were charged with guarding the eight gates of the Ghetto. Giacomo della Porta built the fountain in 1585 and the bronze figures are by the Florentine Taddeo Landini. However the beauty of the four youths and the overall elegance of composition suggest, as Passavant says in his life of Urbinate — that it was designed by Raphael. The four bronze tortoise drinking at the upper basin were added in 1658 by Gian Lorenzo Bernini. A jewel of the late Renaissance, it is one of the loveliest fountains of Rome.

67 - THE FOUNTAIN OF PIAZZA CENCI in the Jewish quarter.
A beautiful Renaissance fountain by Giacomo della Porta. At the time of the Ghetto it stood on the outer part of Piazza Giudea — called « Platea Judaeorum » already in 1402 — now it stands in Piazza Cenci. The palace of the same name became part of the ghetto in the enlargement of the boundary under Gregory XVI, in 1836.

68 - VIALE DAVID LUBIN (1849-1919).
Lubin was a Jew of Polish origin who lived in California and died in Rome where he is buried in the Jewish cemetery of Verano. The Commune of Rome named an avenue after this pioneer in international collaboration in the agricultural field and founder of the precursor of the F.A.O. — the Food and Agriculture Organization of the United Nations. The avenue is in Villa Borghese, the best-known park of Rome where the head office of the International Institute for Agriculture — founded by him was situated.

69 - THE STUDY OF DAVID LUBIN in the F.A.O. Building.
Lubin was a man driven by feelings for the brotherhood of man and he possessed both the gift of an idealistic, internationalistic imagination and the capacity for doing things. « I want to do good to the whole human race in the name of Israel. I want to show the world that Judaism has representatives who honour it in every kind of activity, even in agriculture which was the main occupation of our forefathers ». Putting this into action he conceived and founded with the help of Emanuele III the International Institute for Agriculture. It worked from Rome and in 1947 merged with the F.A.O. in whose offices the Lubin Library and his study serve as a perpetual reminder of this Jew « a pioneer of international cooperation for peace and justice in the world ».

70-71 - THE TIBER ISLAND.
The island is 280 metres long and linked with the present Jewish quarter by Ponte Quattro Capi and by Ponte di Lucio Cestio with Trastevere, the original Jewish quarter in ancient Rome. The Jewish Hospital and the home for

mento degli ebrei nel ghetto. La casa contrassegnata col numero civico 15 era di proprietà della Confraternità « Rechizà », che si occupava di un servizio particolare per i defunti e di dispensare camicie ai poveri.

64 - CASA DI MANILIO «ad forum Judaeorum »

Una iscrizione in caratteri lapidari romani, che corre su lastre di travertino sulla facciata della casa del mercante Lorenzo Manilio, ricorda il desiderio del proprietario di contribuire, in quel periodo di risveglio edilizio nell'Urbe, all'abbellimento della città, costruendo nel 1497 — prima quindi dell'istituzione del ghetto — la propria casa « ad forum Judaeorum » ed ornando la facciata con sculture romane. Via del Portico di Ottavia.

65 - LAPIDE DI CONFRATERNITA EBRAICA e bassorilievo romano.

Una piccola lapide, che in ebraico ed in italiano invita i passanti a dare un'offerta per gli orfani, è posta sulla facciata della casa di Lorenzo Manilio, tuttora adorna di un bassorilievo funerario dell'epoca romana. Via del Portico di Ottavia.

66 - FONTANA DELLE TARTARUGHE, nel quartiere ebraico.

Si trova accanto al Palazzo Mattei, il cui casato aveva il diritto di vigilanza sulle otto porte del ghetto. La fontana è di Giacomo dello Porta, del 1585, con figure bronzee modellate dal fiorentino Taddeo Landini. Ma la leggiadria dei quattro efébi e la eleganza dell'intera composizione fanno pensare — come scrive il Passavant nella vita dell'Urbinate — ad un disegno di Raffaello. Le quattro tartarughe di bronzo, che si abbeverano al piatto superiore, furono aggiunte da Gian Lorenzo Bernini nel 1658. Gioiello del tardo Rinascimento, è una delle più belle fontane di Roma.

67 - FONTANA DI PIAZZÁ CENCI, nel quartiere ebraico.

Bella fontana rinascimentale di Giacomo della Porta. Situata all'epoca del ghetto nella parte esterna di Piazza « Giudìa » — che nel 1402 veniva già denominata Platea Judaeorum — ora si trova in Piazza Cenci. Il palazzo omonimo venne incluso nel ghetto in seguito all'ampliamento del recinto avvenuto nel 1836 sotto Gregorio XVI.

68 - VIALE DAVID LUBIN. (1849-1919)

Ebreo di origine polacca, vissuto in California, morto a Roma e sepolto nel Cimitero israelitico del Verano. A Lubin, pioniere della collaborazione internazionale nel campo dell'agricoltura e precursore della FAO — l'Organizzazione per l'Alimentazione e l'Agricoltura delle Nazioni Unite — il Comune di Roma ha dedicato un viale nella Villa Borghese, il più noto parco della città, nel luogo in cui aveva sede l'Istituto Internazionale per l'Agricoltura, da lui fondato.

69 - LO STUDIO DI DAVID LUBIN nella FAO.

Lubin, spinto da sentimenti di universalità umana e dotato di un pensiero idealistico e pratico nello stesso tempo, credeva fermamente nel progresso civile dell'umanità. « Io voglio beneficiare tutto il genere umano in nome di Israele, voglio dimostrare al mondo che l'Ebraismo ha dei rappresentanti i quali l'onorano in ogni specie di attività, anche nell'agricoltura, che fu l'occupazione principale dei nostri padri ». Concretizzando questo pensiero, fondò nel 1905 con l'aiuto di Vittorio Emanuele III l'Istituto Internazionale per l'Agricoltura, che nel 1947 si fuse con la FAO, nel cui edificio la Biblioteca Lubin e lo studio stanno a perenne ricordo di questo ebreo « pioniere della collaborazione internazionale per la pace e la giustizia nel mondo »

70-71 - ISOLA TIBERINA.

Lunga 280 metri, è congiunta all'odier-

old Jews are in a wing of the Convent of S. Bartolomeo, on this island, which is also called Holy Island, because it was dedicated to Asculapius, the god of medicine. The early history of the island is lost in the distant past though legend says that it was formed by the piling up of mud on wheat, thrown into the river after the Tarquins' expulsion. Later it was given the form of a ship, its bow pointing upstream covered with blocks of travertine stone while an obelisk was set up in the middle to serve as the main mast. In the area that would be the prow a bas-relief of Asculapius' caduceus is still visible.

72 - THE SYNAGOGUE on the Roman skyline.

The Temple visible from all over the city, the centre of Jewish thought, life and culture rises into the sky of Rome between the Capitoline — Republican and Imperial Rome — and the Monument to Victor Emanuel — the Rome of a united and modern Italy, Rome of the Risorgimento — to witness that the two-thousand-year history of the Roman Jews goes on.

no quartiere ebraico con il Ponte Quattro Capi e con il Ponte di Lucio Cestio a Trastevere, primo quartiere ebraico dell'antica Roma.
L'ospedale israelitico ed il ricovero dei vecchi ebrei si trovano nell'ala del Convento di S. Bartolomeo, situato su questa isola, chiamata anche Isola Sacra, che fu dedicata ad Esculapio, dio della medicina e la cui origine si perde nella notte dei tempi. Secondo la leggenda, l'isola di formò con l'accumularsi del fango sulle messi gettate nel fiume dopo la cacciata dei Tarquini. Le fu data in seguito la forma di una nave con la prua contro corrente, venne rivestita interamente con blocchi di travertino ed un obelisco venne posto al centro dell'isola come albero maestro. Nella parte della poppa è ancora visibile il bassorilievo del caduceo di Esculapio.

72 - LA SINAGOGA SULL'ORIZZONTE DI ROMA.
Il Tempio, visibile da ogni punto della città e centro di pensiero, di cultura e di vita ebraica, si staglia nel cielo di Roma fra la torre del Campidoglio - la Roma repubblicana ed imperiale - ed il Vittoriano - la Roma dell'Italia risorgimentale unita e moderna - a testimoniare che la bimillenaria storia degli ebrei di Roma continua.

Fotografie di HENRYK GELLER e ARD GELLER tranne i n. 36, 37, 39, 40, 41 gentilmente concessi dal prof. Elio Toaff, Capo Rabbino della Comunità Israelitica di Roma, 26, 32 dall'Istituto Archeologico Germanico, 69 dalla F.A.O., 21, 22, 23, 24, 25, 27, 28, 29, 30, 31 dalla Pontificia Commissione di Archeologia Sacra ed il n. 33 dalla Biblioteca Vaticana.

NOTA BIBLIOGRAFICA
BIBLIOGRAPHY

ASCARELLI A., Le fosse ardeatine. Canesi ed. 1965.

BEDARIDA G., Ebrei d'Italia. Soc. Ed. Tirrena. Livorno 1950.

BERLINER A., Geschichte der Juden in Rom von der ältesten Zeit bis zur Gegenwart. Frankfurt a. M. 1893.

D'AZEGLIO M., Gli ebrei sono uomini! O.E.T. Roma.

DUBNOW S., Breve storia di Israele. Casa ed. Israel. Firenze 1941.

FLAVII J., Altertümer, wie auch Krieg der Juden mit den Römern. Zuerich 1735.

FLORIANI SQUARCIAPINO M., La Sinagoga di Ostia. Roma 1964.

FREY J.B., Corpus Inscriptionum Judaicarum. Pontificio Istituto di Archeologia Cristiana. 1936.

GARRUCCI R., Cimitero degli antichi ebrei. Roma 1862.

GRAETZ H., Popular History of the Jews. 3 vol. The Jordan Publishing New York 1935.

GRAYZEL S., Storia degli ebrei. Fondazione per la gioventù ebraica. Roma 1964.

GREGOROVIUS F., Geschichte der Stadt Rom im Mittelalter. W. Jess. Dresden 1926.

GREGOROVIUS F., Der Ghetto und die Juden in Rom. Im Schocken Verlag. Berlin 1935.

JEWISH ENCYCLOPEDIA., New York, Londra 1901-6.

LEON J., The Jews of Ancient Rome. The Jew. Public. Soc. Philadelphia 1960.

MANFRIN P., Gli ebrei sotto la dominazione romana. Bocca Ed. Roma 1892, 4 vol.

MILANO A., Ghetto di Roma. Staderini ed. Roma 1964.

MUELLER-BEES., Inschriften der Jüdischen Katakombe am Monteverde zu Rom. Leipzig. 1919.

NATALI E., Il Ghetto di Roma. Roma 1887.

RASSEGNA MENSILE DI ISRAELE, Firenze-Roma.

ROTH C., The Jews in the Renaissance. Harper & Row Publishers. New York 1965.

ROTH C., The History of the Jews of Italy. Philadelphia 1946.

VOGELSTEIN-RIEGER, Geschichte der Juden in Rom. Leipzig 1896.